# Hernandes Dias Lopes

# 1e2TESSALONICENSES
Como se preparar para a segunda vinda de Cristo

© 2007 por Hernandes Dias Lopes

Revisão
*Josemar de Souza Pinto*
*João Guimarães*

Capa
*Atis Design*

Adaptação gráfica
*Sandra Oliveira*

Editora
*Marilene Terrengui*

1ª edição - janeiro de 2008
10ª Reimpressão - dezembro de 2020

Coordenador de produção
*Mauro W. Terrengui*

Impressão e acabamento
*Imprensa da Fé*

Todos os direitos desta edição reservados para:
Editora Hagnos
Av. Jacinto Júlio, 27
04815-160- São Paulo - SP - Tel (11)5668-5668
hagnos@hagnos.com.br - www.hagnos.com.br

---

Dados Internacionais de Catalogação na Publicação (CIP)
(Câmara Brasileira do Livro, SP, Brasil)

---

Lopes, Hernandes Dias -
1 e 2 Tessalonicenses: como se preparar para a segunda vinda de Cristo / Hernandes Dias Lopes. - São Paulo, SP: Hagnos 2008. (Comentários expositivos Hagnos)

ISBN 978-85-7742-020-9

1. Bíblia N.T. Tessalonicenses, 1 e 2 - Comentários. 2. Jesus Cristo - Segunda vinda I. Título

07-9095                                                                 CDD-27.8107

Índices para catálogo sistemático
1. Cartas aos Tessalonicenses, 1 e 2:
Comentários: Espístolas Paulinas    227.8107
2. Tessalonicenses, 1 e 2: Espístolas Paulinas
Comentários    227.8107

Editora associada à:

**Dedicatória**

DEDICO ESTE LIVRO ao casal Aroldo Rodrigues e Gláucia Colodeti Rodrigues, irmãos amados, amigos mais achegados que irmãos, bálsamo de Deus na minha vida, família e ministério.

# Sumário

Prefácio ..... 7
Introdução ..... 11

## 1 TESSALONICENSES

1. As marcas de uma igreja verdadeira ..... 29
   *(1Ts 1.1-10)*

2. Os atributos de um líder espiritual ..... 47
   *(1Ts 2.1-20)*

3. As marcas de um pastor de almas ..... 67
   *(1Ts 3.1-13)*

4. Uma vida que agrada a Deus ..... 83
   *(1Ts 4.1-12)*

5. Os fundamentos da esperança cristã ..... 101
   *(1Ts 4.13-18)*

6. Que atitude a Igreja deve ter em relação à segunda vinda de Cristo? ..... 119
   *(1Ts 5.1-11)*

7. Como cultivar relacionamentos saudáveis na igreja ..... 137
   *(1Ts 5.12-28)*

# 2 TESSALONICENSES

1. Como enfrentar vitoriosamente a tribulação — 157
   *(2Ts 1.1-12)*

2. O anticristo, o inimigo consumado de Deus e da igreja — 175
   *(2Ts 2.1-12)*

3. A gloriosa salvação dos eleitos de Deus — 195
   *(2Ts 2.13-17)*

4. A igreja sob ataque — 213
   *(2Ts 3.1-18)*

# Prefácio

O CONVITE PARA PREFACIAR esta nova obra do Rev. Hernandes Dias Lopes levou-me a um misto de sentimentos como alegria, honra, mas também de preocupação. Alegria por ver mais esta obra de auxílio àqueles que, de fato, remando contra a maré de uma cultura religiosa antiintelectual reinante, buscam nos livros o aprimoramento de seus conhecimentos sobre as doutrinas da Palavra de Deus, especialmente naqueles que são fiéis aos princípios que nortearam a reforma religiosa do século 16. Sinto-me também muito honrado em poder opinar sobre esta obra, a qual tive a alegria de acompanhar quando apresentada na forma de estudo bíblico às quartas-feiras na Primeira Igreja Presbiteriana de Vitória, onde sirvo ao Senhor ao lado do Rev. Hernandes.

Já no primeiro capítulo o autor mostra seu compromisso com a verdadeira pregação do evangelho ao condenar os "púlpitos [que] já abandonaram a pregação fiel e (...) se renderam ao pragmatismo, buscando mais os aplausos dos homens que a glória de Deus".

Nos capítulos seguintes, segue fiel a este direcionamento mostrando como o apóstolo Paulo não tentava "pegar" as pessoas com promessas ou armadilhas "com o fim de impressionar os ouvintes". Paulo fazia discípulos não de si mesmo, mas de Cristo. As pessoas eram transformadas pela pregação da Palavra e ficavam cativas, não do pregador ou do evangelicalismo lúdico, mas da mensagem salvadora de Cristo.

Nesta obra é abordada a confusão doutrinária provocada por um errôneo entendimento a respeito da segunda vinda de Cristo. A antiintelectualidade dos tessalonicenses, já apontada em Atos 17.11, é também responsável nos nossos dias pela multiplicidade de ventos de doutrinas que buscam satisfazer um "mercado" ávido por novidades e modismos, com satisfação imediata em sua busca por prazer e recreio ou de solução para problemas particulares, indo a Deus pelo que Ele pode dar e não por quem Ele é. Isto tem resultado em mutações e adaptações (secularização) do comportamento da igreja local, incluindo a sua interação com o seu Criador, afastando-a das prescrições claras e absolutas da Palavra de Deus. O autor mostra como Paulo trabalhou arduamente para combater todo engano religioso, expondo aos de Tessalônica o verdadeiro conhecimento das doutrinas eternas de Deus, utilizando o "meio certo, a [pregação] da Escritura; a mensagem certa, a vida, a morte, e a ressurreição de Jesus para atingir as pessoas...", bem como lhes descortina detalhes importantes sobre a volta de Cristo.

O Rev. Hernandes analisa com muita clareza as verdades sobre a segunda vinda de Cristo (escatologia), assunto que ele já havia trabalhado em sua obra anterior, o comentário sobre o livro de Apocalipse [Editora Hagnos]. Esta exposição apresenta uma clara advertência aos incrédulos que inexoravelmente sofrerão a tribulação sem alívio, eterna e sem fim. O leitor certamente encontrará na presente obra uma excelente explanação sobre esse assunto que tem sido alvo de muitas especulações, que leva muitos ao medo de encará-lo, mas que em verdade nos traz a segurança do triunfo final da Igreja quando Cristo, o noivo, vier para desposá-la definitivamente, tempo em que reinaremos com Ele eternamente.

Nos capítulos finais o autor apresenta com clareza a vitória triunfante, absolutamente gloriosa, da Igreja do Senhor Jesus, isto é, dos eleitos de Deus. Expõe a doutrina da eleição, esta gloriosa doutrina que mostra Deus como causa e consecução, como autor e consumador da nossa salvação, portanto uma corrente sem elos fracos, pois qualquer alternativa (salvação pelas obras ou em algum grau na dependência do homem) resultaria em pura perda e negaria a doutrina da graça de Cristo como única razão da nossa salvação. Porém, essa doutrina não exclui nem diminui as responsabilidades humanas, pois elas são inteiramente preservadas dentro daquilo que Deus ordenou que cumpramos até o Dia de Cristo, pois fomos criados em Cristo Jesus para as boas obras (Ef 2.8-10), ainda que estas não sejam causa ou moeda de troca para a nossa salvação.

A nossa expectativa é que, com o auxílio desta excelente obra, *1 e 2 Tessalonicenses*, o leitor possa também assimilar as marcas da maturidade da igreja de Tessalônica no ministério de Paulo, quais sejam, a fé, a esperança e o amor.

**Ashbel Simonton Vasconcelos Soares,**
presbítero da Primeira IPB de Vitória,
engenheiro e empresário de Telecomunicações

# Introdução

## A plantação de uma igreja estratégica
(At 17.1-9)

ANTES DE COMENTAR AS DUAS CARTAS de Paulo à igreja de Tessalônica, vamos estudar sobre a plantação dessa igreja. Conhecer a cidade, o tempo, as lutas e os resultados da pregação de Paulo nessa importante capital da Macedônia são de vital importância para compreender o que o apóstolo escreveu.

Portanto, realço alguns aspectos:

Em primeiro lugar, *os planos de Deus devem prevalecer sobre a vontade humana*. O apóstolo Paulo queria entrar no continente asiático em sua segunda viagem missionária, mas Deus o direcionou para a Europa. Ele pretendia ir para o Oriente, mas Deus o conduziu para o Ocidente. Campbell Morgan escreveu:

"A invasão da Europa certamente não estava na mente de Paulo, mas, evidentemente, estava na mente do Espírito Santo".[1] Por essa razão o mundo ocidental foi alcançado pelo evangelho, e as igrejas do Ocidente se tornaram a base dos grandes avanços missionários. John Stott declara: "Foi da Europa que, no seu devido tempo, o evangelho se espalhou pelos grandes continentes: África, Ásia, América do Norte, América Latina e Oceania, alcançando assim os confins do mundo".[2]

Em segundo lugar, *a perseguição humana não pode destruir a obra de Deus*. A evangelização da Europa foi o cumprimento da agenda de Deus, porém ocorreu sob dura perseguição. Por onde Paulo passou na Europa, enfrentou implacável perseguição. Foi açoitado em Filipos, expulso de Tessalônica, enxotado de Beréia, chamado de tagarela em Atenas e de impostor em Corinto. Isso nos mostra que a vontade de Deus não é incompatível com o sofrimento. A igreja de Tessalônica foi gerada no útero do sofrimento, nasceu no berço da perseguição e floresceu num ambiente de profunda hostilidade. Os ventos da perseguição jamais destruíram a igreja; apenas aceleram o processo do seu crescimento.

Em terceiro lugar, *quando Deus se manifesta, a igreja se fortalece com rapidez*. O apóstolo pregou apenas três sábados na sinagoga de Tessalônica e esse tempo foi suficiente para produzir uma verdadeira revolução na cidade. O evangelho chegou ali não apenas em palavra, mas, sobretudo, em poder e demonstração do Espírito e grande convicção (1Ts 1.5). Os corações foram atingidos e as vidas transformadas. Os gentios largaram seus ídolos e se converteram a Cristo (1Ts 1.9), tornando-se crentes modelos para os demais (1Ts 1.7,8). Em um curto espaço de tempo eles se tornaram firmes na fé, sólidos no amor e robustos na esperança (1Ts 1.3). Mesmo sob ameaça e atroz perseguição, aquela igreja plantada às pressas e debaixo de sofrimento tornou-se uma agência de evangelização para todas as demais regiões (1Ts 1.8).

Vamos examinar Atos 17.1-9 e tirar algumas lições:

### A estratégia missiológica de Paulo (At 17.1)

Paulo não era apenas um pregador, era também um sábio estrategista. Na sua primeira viagem missionária concentrou-se exclusivamente em Chipre e na Galácia; na segunda, dedicou-se à evangelização das províncias da Macedônia e Acaia. Na terceira viagem missionária concentrou-se em Éfeso, na província da Ásia Menor. É importante ressaltar que em todas elas, Paulo incluiu a capital em seu trajeto – Tessalônica, a capital da Macedônia; Corinto, da Acaia, e Éfeso, da Ásia. Além disso, Paulo escreveria a cada uma das igrejas nessas capitais, ou seja, suas cartas aos tessalonicenses, aos coríntios e aos efésios.[3]

O apóstolo Paulo entrou na Europa por orientação do Espírito Santo, mas ele tinha também discernimento para fazer as melhores escolhas estratégicas na obra missionária nesse continente. Por essa razão, viajando pela grande via expressa, a Via Egnátia, ele passou por várias cidades macedônias como Anfípolis e Apolônia e concentrou seu trabalho em Tessalônica, a capital da província, onde havia uma sinagoga judia (At 17.1). De todas as cidades desta artéria, a Via Egnátia, Tessalônica era a maior e a mais influente. Situada no atual golfo de Salônica, foi edificada na forma de um anfiteatro nas colinas no fundo da baía.[4]

Não que Paulo julgasse essas duas primeiras cidades indignas do evangelho, mas compreendia que se Tessalônica fosse alcançada, o evangelho poderia irradiar-se dali para as outras regiões. Paulo, assim, não estava sendo preconceituoso nem fazendo acepção de pessoas, estava, sim, sendo estratégico. William Barclay afirma em seu livro que a chegada do cristianismo a Tessalônica foi um fato de suma importância. Paulo sabia que se o cristianismo se firmasse em Tessalônica, ele poderia estender-se a partir dali para o Oriente e para o Ocidente, como de fato aconteceu (1Ts 1.8).[5]

Paulo sabia usar os recursos disponíveis na época para agilizar o processo da evangelização. Howard Marshall, ao comentar essa viagem de Paulo a Tessalônica, ressalta a importância dessa Via Egnátia:

> A grande estrada romana, a Via Egnátia, começava em Neápolis, e passava por Filipos, Anfípolis (At 16.12), Apolônia e Tessalônica, depois passava para o oeste, atravessando a Macedônia até a praia do mar Adriático em Dirraquio, de onde os viajantes podiam atravessar o mar para a Itália. As campanhas missionárias de Paulo foram muito facilitadas onde havia boas estradas, as "rodovias expressas" do mundo antigo, para ajudar seu progresso. Os missionários viajaram 53 km para Anfípolis, 43 km para Apolônia e então, 56 km para Tessalônica.[6]

Warren Wiersbe diz que Paulo costumava ministrar nas cidades maiores e transformá-las em centros de evangelismo a toda a região (At 19.10,26; 1Ts 1.8).[7] Tessalônica era uma cidade estratégica. Ela era a capital da Macedônia. Era também um importante centro comercial, só comparado à cidade de Corinto. Ali ficava um dos mais importantes portos da época. Ela comandava o comércio marítimo pelo mar Egeu e terrestre pela Via Egnátia. Também por Tessalônica passavam diversas rotas comerciais. William

MacDonald disse que o Espírito Santo escolheu essa cidade como uma base a partir da qual o evangelho poderia se irradiar para muitas outras direções.[8]

William Barclay relata que o nome original dessa cidade era Thermai, que significa "fontes quentes". Seiscentos anos antes, Heródoto já a descrevia como uma grande cidade. Aqui Xerxes, o persa, estabeleceu sua base naval ao invadir a Europa. Em 315 a.C., Cassandro reedificou a cidade e colocou nela o nome de Tessalônica, em homenagem a sua mulher, filha de Filipe da Macedônia e irmã de Alexandre Magno. Tessalônica, como Filipos, era uma cidade antiga que recebera nova vida na era helenística. Os romanos fizeram dela uma cidade livre em 42 a.C., e ela possuía os direitos garantidos de governo próprio nos padrões gregos mais que romanos.[9]

Jamais as tropas romanas haviam cercado essa importante cidade. Ela mantinha sua própria assembléia popular e seus próprios magistrados. Sua população era estimada em 200 mil habitantes e durante um tempo chegou a rivalizar com Constantinopla como candidata à capital do mundo. Como já dissemos, pela *Via Egnátia*, Tessalônica ligava o Oriente e o Ocidente. Ela fica na entrada do Império Romano. Em virtude desses fatos, verdadeiramente, é impossível exagerar a importância da chegada do cristianismo a Tessalônica. Paulo sabia que se o cristianismo conseguisse se estabelecer em Tessalônica, ele se estenderia ao Oriente pela *Via Egnátia* até conquistar toda a Ásia, e pelo Ocidente chegaria certamente à cidade de Roma. O advento do cristianismo em Tessalônica foi um passo crucial na transformação do cristianismo em religião mundial.[10]

A cidade de Tessalônica sobreviveu aos embates do tempo. Foi a segunda maior cidade nos dias do império bizantino.

Em 390 d.C., foi palco de um grande massacre, quando o imperador Teodósio, o Grande, mandou massacrar mais de sete mil de seus cidadãos. A cidade desempenhou papel importante nas Cruzadas. Passou a um governo otomano em 1430. De 1439 até 1912 ficou com os turcos. Em 1912 foi tomada de volta pelos gregos. Atualmente, com o nome de Salônica, é a segunda maior cidade da Grécia, tendo uma população estimada em 250 mil habitantes.[11]

### A ponte de contato para a pregação do evangelho (At 17.2)

O apóstolo Paulo escolheu Tessalônica não apenas por sua localização geográfica e importância econômica e política, mas também por sua conexão religiosa. Naquele grande centro de cultura grega e romana havia uma sinagoga de judeus.

Frank Stagg diz que não é motivo de surpresa a existência de uma sinagoga em Tessalônica, visto que seu forte comércio atrairia a colônia judia.[12] Essa sinagoga era uma ponte de contato para a pregação do evangelho. Antes de Paulo, Jesus já tinha usado a sinagoga como ponte de acesso para o ensino das Escrituras e testemunho do evangelho (Lc 4.16).

Paulo tinha o costume de usar as sinagogas como ponto de partida para atingir as pessoas com o evangelho (At 13.5,14,44). Em Tessalônica não foi diferente. Por três sábados, arrazoou com eles acerca das Escrituras. Paulo começa a evangelização da cidade de Tessalônica a partir da sinagoga judia reunida aos sábados.

Na sua estratégia, Paulo usa o lugar certo e o tempo certo. Ele também usou o meio certo, a Escritura; a mensagem certa, a vida, a morte e a ressurreição de Jesus para atingir as pessoas certas, judeus e gentios piedosos. Jesus, Paulo e os missionários ao longo dos séculos souberam usar com sabedoria essas pontes de contato para levarem aos povos a mensagem da graça de Deus.

Ainda hoje precisamos ter discernimento para buscarmos os melhores meios, os melhores recursos, os melhores métodos para anunciarmos a melhor mensagem, o evangelho de Cristo.

### A essência da pregação de Paulo (At 17.3)

O apóstolo Paulo prega Cristo a partir das Escrituras. Ele não prega filosofia grega nem política romana. Ele não prega a tradição dos anciãos nem ensina sobre os dogmas dos rabinos fariseus. Ele expõe as Escrituras e a partir delas apresenta Cristo. Joseph Alexander diz que nós aprendemos deste versículo, que as duas grandes doutrinas pregadas por Paulo em Tessalônica foram acerca do Messias sofredor e sua identidade com o Jesus de Nazaré.[13]

Dois pontos nos chamam a atenção neste versículo:

1. Paulo variou os métodos (At 17.3). A pregação do evangelho deve ser bíblica e racional, afirma Matthew Henry.[14] Paulo não usa expedientes místicos para expor as Escrituras. Ele apela para a razão de seus ouvintes. Ele se dirige à mente deles e desperta o seu entendimento. Paulo identificou o Jesus da História com o Cristo das Escrituras, enquanto, hoje, alguns teólogos liberais tentam criar um abismo entre o Jesus histórico dos Evangelhos e um Cristo místico da teologia e da experiência cristã.[15]

Quatro verbos descrevem a pregação de Paulo na sinagoga de Tessalônica:

a. Ele arrazoou (17.2). Paulo dialogou com eles por meio de perguntas e respostas. A palavra grega aqui empregada nos deu o termo *dialética*, que nada mais era do que ensinar discutindo por meio de perguntas e respostas.[16]

b. Ele expôs (17.3), ou seja, explicou para eles o conteúdo do evangelho. Pregar é explicar as Escrituras e aplicá-las. O pregador não cria a mensagem, ele a transmite. A mensagem emana das Escrituras. Deus não tem nenhum compromisso com a palavra do pregador, mas com a sua Palavra. A Palavra de Deus e não a do pregador tem a garantia de que não volta para Ele vazia. Para explicar a Palavra é preciso ser fiel na interpretação. É preciso fazer uma exegese sadia, ou seja, tirar do texto o que está realmente nele e não impor ao texto o que ele não está afirmando.

c. Ele demonstrou que Jesus é, de fato, o Messias. O termo "demonstrar", *paratithemi,* significa "colocar lado a lado ao apresentar evidências" (17.3). Isso se referia à exposição de Paulo que consistia em colocar o cumprimento ao lado das profecias.

d. Ele anunciou a morte e a ressurreição de Jesus Cristo (17.3).[17] Paulo se empenhava em anunciar Jesus. Em outras palavras, ele contou a história de Jesus de Nazaré: seu nascimento, sua vida e seu ministério, sua morte e ressurreição, sua exaltação e a dádiva do Espírito, o seu reino presente e sua volta, a oferta da salvação e o anúncio do julgamento. Não há motivo para duvidar que Paulo tenha dado um relato completo da carreira salvífica de Jesus, do começo ao fim, afirma John Stott.[18]

2. Paulo não mudou a mensagem (At 17.3). A pregação de Paulo em Tessalônica foi cristocêntrica. Ele falou sobre a morte e a ressurreição de Jesus, o Cristo. A morte e a ressurreição de Cristo são o âmago da mensagem cristã. Cristo morreu pelos nossos pecados (1Co 15.3) e ressuscitou para a nossa justificação (Rm 4.25). A mensagem pregada

por Paulo na sinagoga de Tessalônica tornou-se a essência do *kerygma* apostólico, que Pedro já havia pregado no dia do Pentecostes (At 2.22-24) e que ele mesmo resumiu posteriormente (At 13.26-31).

Howard Marshall afirma: "Visto que Paulo faz essencialmente as mesmas declarações acerca do Messias em 1Coríntios 15.3-8, passagem esta que se baseia na tradição cristã primitiva, fica claro que não estava publicando uma linha de pensamento inventada por ele, mas simplesmente repetia aquilo que era ensinamento cristão comumente aceito".[19]

Não há evangelho onde a cruz de Cristo é banida. Não há cristianismo onde a morte expiatória de Cristo é relegada a um segundo plano. Não há remissão de pecados sem o derramamento do sangue do Cordeiro de Deus. De igual forma, sem a ressurreição de Cristo, Seu sacrifício não teria eficácia. A ressurreição é o estandarte da vitória, é a consumação triunfante de Sua obra redentora.

Frank Stagg destaca o fato de que era bem difícil para os judeus sob opressão estrangeira aceitar o quadro de um Messias sofredor; eles esperavam um Messias que viesse acabar de vez com os sofrimentos de Seu povo e inaugurar um reinado de triunfo e paz. Por isso, a cruz para eles era "escândalo", e só o fato de haver Jesus ressuscitado poderia levar o judeu a reexaminar a cruz à luz das Escrituras (At 17.2).[20]

Thomas Whitelaw diz que podemos sintetizar a pregação de Paulo em Tessalônica em sete pontos:[21]

- O lugar. Paulo pregou na sinagoga, onde se reuniam judeus, prosélitos, e interessados no aprendizado da Palavra de Deus.
- O tempo. Paulo pregou aos sábados, ou seja, no dia em que as pessoas se reuniam na sinagoga para estudarem a Palavra.

- O livro texto. Paulo usou as Escrituras. Ele não buscou a tradição rabínica nem outra fonte. Ele pregou a Palavra.
- A tese. Paulo proclamou que Jesus de Nazaré era o Messias que tinha sido prometido aos pais.
- O método. Paulo apelou para o entendimento de seus ouvintes na medida em que explicava para eles as Escrituras.
- A prova. Paulo mostrou que era necessário que o Messias sofresse e ressuscitasse dentre os mortos (At 2.24-31; 3.18; 13.27-37; Lc 24.44).
- O efeito. Alguns judeus se converteram e também uma multidão de gregos prosélitos, além de não poucas mulheres distintas.

## O impacto da pregação de Paulo (At 17.4)

A pregação de Paulo em Tessalônica foi eficaz (1Ts 1.5). A convicção interna foi seguida pela correspondente profissão de fé externa e pública admissão na igreja.[22] Embora poucos judeus foram convertidos, porém, uma grande multidão de gregos piedosos recebeu a Cristo, bem como muitas distintas mulheres foram persuadidas e agregadas a Paulo e Silas. Os convertidos de Tessalônica afluíam de quatro seções da comunidade: judeus, gregos, tementes a Deus e mulheres distintas.

O evangelho causou grande impacto na vida dos gentios. Em apenas três semanas, ouvimos falar de uma multidão de convertidos. É bem verdade que Paulo deve ter passado mais tempo em Tessalônica. Somos informados que a igreja de Filipos mandou oferta para ele duas vezes enquanto estava em Tessalônica (Fp 4.15,16) e que durante esse tempo precisou trabalhar com suas próprias mãos para complementar o seu sustento (1Ts 2.9).

Por que a pregação de Paulo teve tanto sucesso em Tessalônica? Encontramos essa resposta em sua carta aos tessalonicenses (1Ts 1.5). Paulo diz que sua pregação tinha três características fundamentais:

1. Foi uma pregação centrada na Palavra. Paulo pregou o conteúdo do evangelho. Ele apresentou Jesus. Ele não pregou suas opiniões nem os arrazoados dos rabinos. Ele pregou sobre a vida, a morte e a ressurreição de Cristo.

2. Foi uma pregação revestida de poder. O apóstolo Paulo tinha palavra e poder. Ele pregava aos ouvidos e também aos olhos. Ele falava e demonstrava. Hoje, os homens escutam belos discursos da igreja, mas não vêem vida. Há trovões, mas não existe chuva. Há palavras, mas não existe demonstração do Espírito Santo.

3. Foi uma pregação marcada por profunda convicção. A pregação de Paulo era autenticada pela experiência e pela vida. Paulo não era um pregador de banalidades. Ele não era um alfaiate do efêmero, mas um escultor do eterno.

As pessoas convertidas não apenas acreditaram em Cristo, mas entraram para uma comunhão vital com seus fiéis ministros, associando-se com eles. Possivelmente, essas pessoas deixaram a sinagoga e se uniram a Paulo e Silas na casa de Jasom. Não há salvação sem integração na Igreja de Deus. Os que são salvos devem ser batizados e discipulados. Não há crentes isolados. Pertencemos ao corpo de Cristo. Estamos ligados uns aos outros. Somos membros uns dos outros. Uma pessoa salva precisa se unir à igreja. Ela precisa declarar publicamente a sua fé.

## A resistência à pregação de Paulo (At 17.5,6)

Não há pregação do evangelho sem oposição. A luz incomoda as trevas. A perseguição em Tessalônica não teve origem política, mas religiosa. A oposição não partiu da religião pagã, mas do judaísmo. A motivação da perseguição foi produzida por sentimento e não por entendimento. Os judeus perseguiram Paulo não pela sua pregação, mas o perseguiram por causa da inveja.

Os judeus invejosos usaram os métodos mais baixos para perturbar o trabalho evangelístico de Paulo em Tessalônica. Eles subornaram homens sem caráter, arrancados das fileiras da malandragem, para perturbarem a ordem social e promoverem turbulência entre o povo, com vistas à prisão do apóstolo Paulo e seus cooperadores.

A inveja é algo tão maligno que leva as pessoas a usarem os métodos mais perversos, a se aliarem às pessoas mais perversas e a tirarem as conclusões mais perversas acerca dos homens mais nobres, os obreiros de Deus. Paulo e seus companheiros não estavam transtornando o mundo, mas transformando o mundo. A mensagem deles não provocava transtorno, mas transformação.

Havia dois cursos de ação para os acusadores: a assembléia popular, *demos,* diante da qual podiam ser levadas acusações e os magistrados, *politarcos,* os oficiais não-romanos das cidades da Macedônia.[23] Os politarcos eram uma designação dos magistrados eleitos das cidades livres, distintos dos pretores das colônias romanas.[24] As acusações chegaram a ambos os fóruns. Os missionários foram acusados diante do povo e diante das autoridades. A acusação foi pública e também privada. Foi popular e também política.

### A acusação contra Paulo e seus cooperadores (At 17.7-9)

A acusação contra Paulo e Silas era muito séria: "Estes que têm transtornado o mundo chegaram também aqui, aos quais Jasom hospedou. Todos estes procedem contra os decretos de César, afirmando ser Jesus outro rei. Tanto a multidão, como as autoridades ficaram agitadas ao ouvirem estas palavras" (At 17.6-8).

A palavra "mundo" usada pelos acusadores foi *oikoumene*, que significa a terra habitada conhecida, ou seja, o Império Romano. A acusação geral levantada contra os missionários era que eles tinham causado "transtorno" (At 17.6), ou seja, uma sublevação social radical. O verbo *anastatoo* tem uma conotação revolucionária (At 21.23).[25]

Os judeus formalizaram uma acusação política contra Paulo e seus cooperadores. Eles acusaram Paulo de sedição, de alta traição e de conspiração contra o imperador.

John Stott diz que é difícil exagerar o perigo ao qual estavam expostos, pois uma simples sugestão de traição contra os imperadores muitas vezes era fatal para o acusado.[26] A acusação dos judeus foi clara: "Todos estes procedem contra os decretos de César, afirmando ser Jesus outro rei" (At 17.7). O termo grego traduzido por "outro" significa "outro de tipo diferente", ou seja, um rei diferente de César. Como a ênfase de Paulo nesta carta foi a segunda vinda de Cristo, os judeus e os pagãos incrédulos não entenderam a pregação da segunda vinda de Cristo e concluíram que Paulo estava pregando sobre um reinado político de Cristo na terra, conspirando, assim, contra os interesses de César.

A pregação de Paulo pode ter sido interpretada como a profecia de uma mudança de imperador. Havia decretos imperiais contra tais predições. Os juramentos de lealdade a César podiam ser considerados como exigências dos seus decretos, e estes seriam impostos pelos magistrados locais.[27] Assim, a acusação contra Paulo e Silas era de fato incendiária.

Por ser Tessalônica uma cidade livre, qualquer sedição deixava seus habitantes sobressaltados. Roma lhe tiraria esse direito se houvesse qualquer rebelião ou traição. No ano 49 d.C., o imperador Cláudio expulsara de Roma os judeus por causa de um tumulto a respeito de "Chrestus". Há dúvidas se esse "Chrestus" era uma grafia errada de Cristo. Se for, como muitos sustentam, então isto constituiria razão bem forte para perturbar os habitantes e as autoridades de Tessalônica, quando dentro da cidade se encontravam seguidores de Cristo. A simples prédica de Jesus como o ungido de Deus era de natureza explosiva.[28]

O escritor John Stott afirma que a ação dos magistrados cobrando fiança de Jasom provavelmente não se restringiu à simples cobrança de uma fiança. A expressão de Lucas se refere ao oferecimento e concessão de garantia, em processos civis e criminais. Eles obtiveram de Jasom e dos outros a promessa de que Paulo e Silas sairiam da cidade e não retornariam, ameaçando com castigos severos se o acordo fosse quebrado. Provavelmente Paulo se referia a esta proibição legal quando escreveu que Satanás não lhe permitiu retornar a Tessalônica. Esse expediente engenhoso colocou um abismo intransponível entre Paulo e os tessalonicenses.[29]

## As cartas de Paulo à igreja de Tessalônica

Quando Paulo saiu de Tessalônica sob um clima de intensa perseguição, ficou preocupado com o futuro da igreja. Não descansou sua alma até encontrar-se com Timóteo em Atenas e saber que aqueles irmãos estavam firmes na fé (1Ts 2.1-5). Paulo nutria tal amor por esta igreja que chegou a dizer: "Sim, vós sois realmente a nossa glória e a nossa alegria!" (1Ts 2.20).

As notícias trazidas por Timóteo também sinalizavam alguma inquietação. Paulo, então, escreve duas cartas para corrigir esses problemas. William Barclay sintetiza esses problemas em seis pontos:[30]

1. A pregação da segunda vinda de Cristo havia produzido uma situação anormal (4.11). Havia algumas pessoas na igreja que deixaram de trabalhar e abandonaram seus empreendimentos para esperar a segunda vinda de Cristo, numa espécie de histeria expectante. Paulo escreve à igreja para corrigir essa prática equivocada.

2. Havia confusão acerca do destino dos crentes na hora da morte (4.13-18). Alguns crentes estavam acreditando que se alguém morresse antes da segunda vinda de Cristo estava em total prejuízo em relação aos vivos. Paulo escreve para afirmar que os crentes que morreram no Senhor não estavam em desvantagem em relação aos que estiverem vivos até à volta do Senhor.

3. Havia uma tendência de desprezar toda autoridade legal (5.12-14). Os novos convertidos da igreja de Tessalônica estavam transformando a democracia grega em um risco para a vida cristã, pois tinham dificuldade de acatar e obedecer às autoridades estabelecidas na igreja.

4. Havia uma tendência à recaída na imoralidade (4.3-8). O mundo grego estava eivado de sensualidade, a promiscuidade sexual estava misturada com a religiosidade grega. Esse ambiente de impureza fazia parte da cultura dos tessalonicenses. Paulo escreve para ensinar a eles que Deus os havia chamado para a santidade e não para a impureza.

5. Havia um grupo de resistência ao apostolado de Paulo (2.5-9). Havia algumas pessoas que acusavam Paulo de ganancioso (2.5,9) e outros que acusavam Paulo de ditador

(2.6,7,11). Paulo escreve para defender seu apostolado e mostrar a eles que sua postura entre eles fora irrepreensível.

6. Havia sinais de divisão na igreja (4.9; 5.13). As disputas internas ameaçam a comunhão da igreja nascente. Havia falta de amor e comunhão entre alguns crentes.

### Notas da Introdução

[1] MORGAN, G. Campbell. *The Acts of the Apostles.* Fleming H. Revell. 1924: p. 287.

[2] STOTT, John R. W. *A mensagem de Atos.* ABU Editora. São Paulo, SP. 2005: p. 291.

[3] STOTT, John R. W. *A mensagem de Atos.* 2005: p. 291.

[4] HENDRIKSEN, William. *1 e 2Tessalonicenses.* Editora Cultura Cristã. São Paulo, SP. 1998: p. 11.

[5] BARCLAY, William. *Hectos de los Apostoles.* Editorial La Aurora. Buenos Aires. 1974: p. 137.

[6] MARSHALL, I. Howard. *Atos: Introdução e comentário.* Editora Mundo Cristão. São Paulo, SP. 1980: p. 260,261.

[7] WIERSBE, Warren W. *Comentário bíblico expositivo.* Vol. 5. Geográfica Editora. Santo André, SP. 2006: p. 609.

[8] MACDONALD, William. *Believer's Bible commentary.* Thomas Nelson Publishers. Nashville. 1995: p. 1637.

[9] SHERWIN-WHITE, A. N. *Romans society and roman law in the New Testament.* Oxford. 1963: p. 95-98.

[10] BARCLAY, William. *Filipenses, Colosenses, I y II Tesalonicenses.* Editorial La Aurora. Buenos Aires. 1973: p. 188.

[11] HENDRIKSEN, William. *1 e 2Tessalonicenses.* 1998: p. 12,13.

[12] STAGG, Frank. *O livro de Atos.* Casa Publicadora Batista. Rio de Janeiro, RJ. 1958: p. 248.

[13] ALEXANDER, Joseph Addison. *Commentary on the Acts of the Apostles.* Zondervan Publishing House. Grand Rapids, Michigan. 1956: p. 598.

[14] HENRY, Matthew. *Matthew Henry's commentary in one volume.* Zondervan Publishing House. Grand Rapids, Michigan. 1961: p. 1703.

[15] STOTT, John R. W. *A mensagem de Atos.* 2005: p. 306.

[16] STAGG, Frank. *O livro de Atos.* 1958: p. 248.

[17] WIERSBE, Warren W. *Comentário bíblico expositivo.* Vol. 5. 2006: p. 609.

[18] STOTT, John R. W. *A mensagem de Atos.* 2005: p. 305,306.

[19] MARSHALL, I. Howard. *Atos: Introdução e comentário.* 1982: p. 262.

[20] STAGG, Frank. *O livro de Atos.* 1958: p. 248,249.

[21] WHITELAW, Thomas. *The preacher's complete homiletic commentary: Acts.* Vol. 25. Baker Books. Grand Rapids, Michigan. 1996: p. 361.

[22] ALEXANDER, Joseph Addison. *Commentary on the Acts of the Apostles.* 1956: p. 598.

[23] MARSHALL, I. Howard. *Atos: Introdução e comentário*. 1982: p. 263.
[24] ALEXANDER, Joseph Addison. *Commentary on the Acts of the Apostles*. 1956: p. 600.
[25] STOTT, John R. W. *A mensagem de Atos*. 2005: p. 307.
[26] STOTT, John R. W. *A mensagem de Atos*. 2005: p. 307.
[27] MARSHALL, I. Howard. *Atos: Introdução e comentário*. 1982: p. 264.
[28] STAGG, Frank. *O livro de Atos*. 1958: p. 250,251.
[29] STOTT, John R. W. *A mensagem de Atos*. 2005: p. 307,308.
[30] BARCLAY, William. *Filipenses, Colosenses, I y II Tesalonicenses*. 1974: p. 190.

# 1 Tessalonicenses

## Capítulo 1

### As marcas de uma igreja verdadeira
(1Ts 1.1-10)

O APÓSTOLO PAULO ENTROU NA Macedônia por orientação do Espírito Santo, porém, a escolha de Tessalônica, como capital da província da Macedônia, para plantar uma igreja foi estratégia do apóstolo. Na verdade, é Deus quem escolhe os obreiros e dirige a obra. É Deus quem abre portas para a pregação e os corações para a mensagem. Em apenas três semanas em Tessalônica, o apóstolo plantou uma igreja que floresceu e espalhou sua influência para outras províncias, apesar de amarga perseguição que enfrentou.
Vamos ver as marcas dessa igreja. Seus atributos são luzeiros que devem clarear a caminhada da igreja ainda hoje. A

igreja de Tessalônica é uma igreja modelo. Ao examinar o capítulo 1 desta carta tiramos algumas lições.

**Uma saudação carinhosa (1.1,2)**

Vale a pena ressaltar três aspectos:

1. Os remetentes da carta (1.1). Paulo, Silvano e Timóteo são os remetentes da carta. Silas e Timóteo eram companheiros de Paulo nessa viagem missionária e por uma questão de fidalguia, o apóstolo insere o nome deles em sua missiva. Os remetentes da carta eram homens fiéis a Deus e fiéis à igreja. Eram pastores e não exploradores do rebanho. Estavam prontos a dar a vida pela igreja em vez de viverem às custas dela.

O sentido do nome romano *Paulo* é "pequeno". Alguns documentos o descreviam como um homem calvo, de pernas tortas, forte na estrutura, pequeno no tamanho, com sobrancelhas que se encontravam, nariz um tanto grande. Cheio de graça, pois às vezes parecia homem e às vezes tinha rosto de anjo.[31]

Paulo não se auto-intitula apóstolo na introdução desta carta. Isto ocorreu não porque os tessalonicenses fossem neófitos, no entendimento de Crisóstomo, ou porque Paulo não quisesse ferir a sensibilidade de Silas e Timóteo que não eram apóstolos, como acreditava Estius, ou porque sua autoridade apostólica ainda não era reconhecida, como pensava Jowett, ou porque ele estava justamente começando o seu labor apostólico, na visão de Wordsworth, mas porque seu apostolado jamais fora questionado pela igreja de Tessalônica.[32]

Silvano é nome próprio romano. Silas é a versão do nome em grego e Silvanus em latim.[33] Silas é mencionado como um líder entre os irmãos e um profeta (At 15.22,32). Igual a Paulo, ele também era um cidadão romano (At 16.37). Ele acompanhou Paulo na segunda viagem missionária em lugar de Barnabé (At 15.40), foi preso e açoitado com Paulo em Filipos (At 16.19-24) e engajou-se com Paulo na evangelização de Tessalônica, Beréia e Corinto. Seu ministério em Corinto é mencionado com honra por Paulo (2Co 1.19).

Timóteo era nativo de Listra, tendo um pai grego e uma mãe judia (At 16.1). Ele juntou-se a Paulo e Silas na segunda viagem missionária em Listra e também em Filipos, Tessalônica e Corinto. Ele esteve com Paulo em sua terceira viagem missionária e foi enviado por ele com uma missão especial na Macedônia e Corinto (At 19.22; 1Co 16.10). Timóteo acompanhou Paulo na Ásia em sua última viagem para Jerusalém (At 20.4). Ele estava com Paulo em sua primeira prisão em Roma, quando este escreveu suas cartas aos Filipenses e Colossenses (Fp 1.1; Cl 1.1). Depois Timóteo residiu em Éfeso (1Tm 1.3), de onde foi chamado para acompanhar Paulo em Roma, antes do seu martírio (2Tm 4.9-21).[34]

2. Os destinatários da carta (1.1). Duas características nos chamam a atenção quanto aos destinatários desta carta:

a. Era uma igreja do povo. Paulo não se dirige à igreja em Tessalônica, mas à igreja dos tessalonicenses. A igreja não é um prédio ou uma instituição de determinada cidade, mas um povo, o povo que recebe a Cristo como Senhor. Paulo também não se dirige apenas a um grupo dentro da igreja, mas a toda a igreja. Na Igreja de Deus todos são importantes. I. Howard Marshall diz que a frase genitiva descreve a igreja em termos das pessoas que a compunham, ou seja, um grupo local de pessoas.[35]

b. Era uma igreja estabelecida em Deus. A igreja estava em Deus Pai e no Senhor Jesus Cristo. A igreja não tem vida própria. Ela vive em Deus. Ela depende de Deus e caminha para Deus. Concordo com William Barclay quando ele diz que Deus é a verdadeira atmosfera em que a igreja vive, se move e existe. Assim como o ar está em nós e nós no ar, e não podemos viver sem ele, assim também a igreja verdadeira está em Deus e Deus na igreja verdadeira; para a igreja não há vida sem Deus.[36] Por conseguinte, uma igreja que não está estabelecida em Deus Pai e no Senhor Jesus Cristo não é uma igreja genuína. Uma organização eclesiástica pode parecer igreja, pode agir como igreja, pode falar como igreja, mas se esse fundamento está faltando, então, ela não é igreja.

3. As bênçãos da carta (1.1). O apóstolo Paulo roga a Deus a graça e a paz para a igreja. Graça é o favor imerecido de Deus, paz é o resultado da graça. Graça é a causa e paz é o efeito, segundo o escritor William MacDonald.[37] Essas duas bênçãos falam da causa e do resultado da salvação. Quando estamos debaixo da graça de Deus temos paz com Ele. William Hendriksen torna esse conceito cristalino: "a graça é a fonte, e a paz é a corrente de água que emana desta fonte".[38]

I. Howard Marshall diz que para o judeu a paz era o bem-estar espiritual que provinha de um relacionamento certo com Deus. Para o cristão, expressava abrangentemente a reconciliação com Deus e as bênçãos conseqüentes dadas ao Seu povo por intermédio da Sua ação grandiosa em Cristo.[39]

## Uma gratidão copiosa (1.3-5)

Vejamos três pontos fundamentais no texto:

1. Um testemunho formidável (1.3). A igreja de Tessalônica, embora nova na fé, tinha as marcas da maturidade cristã. Ela possuía as três virtudes cardeais da vida cristã: fé, amor e esperança (1Co 13.13). Quanto ao passado estava firmada na verdade, pois tinha colocado sua fé em Deus e agora estava trabalhando para Ele. Quanto ao presente estava envolvida no amor a Deus e ao próximo. Quanto ao futuro estava sendo alimentada pela expectativa da segunda vinda de Cristo. I. Howard Marshall define essas três virtudes assim:

> A fé é a aceitação da mensagem do evangelho, a confiança em Deus e Jesus, e a dedicação obediente (1.8; 3.2,5-7,10; 5.8). O amor é a afeição que é expressa no cuidado altruísta dalguém, o tipo de amor que o próprio Deus demonstrou ao enviar Jesus para morrer por nós (Rm 5.8); os cristãos devem demonstrá-lo uns aos outros e para todos os homens (3.12), e sua atitude diante de Deus deve ser da mesma qualidade, expressando-se em completa devoção a Ele (3.6,12; 5.8,13). A esperança é a expectativa confiante de que Deus continuará a cuidar do Seu povo e que o fará vencer as provações e os sofrimentos até chegar à bem-aventurança futura na Sua presença (2.19; 4.13; 5.8).[40]

Vamos analisar essas três virtudes cardeais:

a. A fé produz obras. Quando uma pessoa crê verdadeiramente em Jesus, ela se torna operosa no Reino de Deus. Matthew Henry diz que onde quer que exista uma fé verdadeira, encontraremos obra, pois a fé sem obras é morta (Tg 2.14).[41] Salvação conduz ao serviço. Quanto mais robusta é a fé que um povo tem em Cristo, tanto mais dedicado é o seu trabalho para Ele. A palavra traduzida por "operosidade" é *ergon*, trabalho ativo ou todo o trabalho cristão governado e energizado pela fé.[42] William Hendriksen diz que cuidar dos doentes, consolar os que estão à morte, instruir os incultos, tudo isso e muito mais ocorre à lembrança. Contudo, considerando os versículos 6-10 deste capítulo, parece que o apóstolo se refere, sobretudo, à obra de propagar o evangelho, e de fazer isso até mesmo em meio a terrível perseguição. Isso, sim, foi uma obra resultante da fé.[43]

b. O amor produz serviço intenso. A palavra usada por Paulo para "abnegação" é *kópos*, trabalho exaustivo, labor. A palavra denota o trabalho árduo e cansativo, que envolve suor e fadiga. Enfatiza o cansaço que decorre da utilização de todas as energias da pessoa.[44] Nós evidenciamos o nosso amor por Cristo por aquilo que fazemos para Ele. Nós demonstramos amor ao próximo não apenas com palavras, mas com atitudes concretas de serviço.

c. A esperança produz paciência triunfadora. A igreja de Tessalônica estava com os pés na terra, mas com os olhos no céu. Ela servia no mundo, mas aguardava a glória do céu. Sua esperança não era vaga, mas firme. A palavra que Paulo usou para "firmeza" é uma das mais ricas da língua grega. É *hupomone*, que significa paciência triunfadora. Fritz Rienecker diz que *hupomone* é o espírito que suporta as coisas, não com mera resignação, mas com uma viva esperança. É o espírito que suporta as coisas porque sabe que elas estão a caminho de um alvo de glória.[45]

2. Uma prova irrefutável (1.4). A igreja de Tessalônica era a amada e a eleita por Deus. Pelo seu testemunho ela dava provas da sua eleição. A eleição precisa ser confirmada. Por conseguinte, é possível saber se estamos incluídos nesse propósito e decreto eterno da eleição de Deus. Nenhum crente deveria ter garantia da sua eleição sem evidenciar uma nova vida em Cristo. A eleição não é um estímulo ao comodismo, mas uma razão imperativa para a santidade.

Somos eleitos para a santidade (Ef 1.4). Somos eleitos para a obediência (1Pe 1.2). Somos eleitos para a fé (At 13.48). Somos eleitos pela fé na verdade e santificação do Espírito (2Ts 2.13).

A eleição é uma verdade revelada nas Escrituras. Sete vezes em João 17, Jesus refere-se aos cristãos como aqueles que o Pai lhe deu (17.2,6,9,11,12,24). Paulo declara sua certeza de que os tessalonicenses haviam sido escolhidos por Deus (1.4).

A eleição é um ato da livre escolha divina, por meio da qual Deus, de forma livre, eterna e soberana nos escolheu em Cristo para a salvação. A eleição desemboca numa vida santa. Ela não é uma desculpa para o pecado, mas um estímulo à obediência. A eleição deve ser evidenciada com humildade e não manifestada com arrogância. William Hendriksen sintetiza essa gloriosa verdade em vários tópicos:

- A eleição é desde a eternidade (Ef 1.4,5).
- A eleição se torna evidente na vida (1.4).
- A eleição é soberana e incondicional (2Tm 1.9).
- A eleição é em Cristo (Ef 1.4).
- A eleição é para a salvação (Cl 3.12-17).
- A eleição é para uma vida santa e irrepreensível (Ef 1.4).
- A eleição é mediante a fé na verdade e santificação do Espírito (2Ts 2.13).
- A eleição é imutável e eficaz (Rm 8.30).
- A eleição tem como fim principal a glória de Deus (Ef 1.4-6).[46]

3. Um impacto inegável (1.5). O apóstolo Paulo denomina o evangelho de Cristo como seu evangelho. Isso, pela

sua identificação e compromisso com ele. Esse evangelho chegou à igreja de Tessalônica de três formas gloriosas:

a. Em palavras. O apóstolo usou métodos inteligentes de abordagens para apresentar Jesus por meio das Escrituras. Ele arrazoou, expôs, demonstrou e anunciou (At 17.2,3). Todos esses métodos foram endereçados ao entendimento dos tessalonicenses. Porém, Paulo não dependeu de sua própria habilidade, eloquência e sabedoria. A pregação dele não foi meramente uma declamação, uma retórica vazia e sem coração.[47] A pregação de Paulo não era um simples discurso.

b. Em poder, no Espírito Santo. A palavra utilizada por Paulo para "poder", *dynamis,* é usada geralmente para denotar a energia divina.[48] Pregar em poder, portanto, significa pregar na força e energia do próprio Deus. O evangelho não consiste de meras palavras. Palavras humanas seriam inúteis se a mensagem não fosse dada em poder. O evangelho é o poder de Deus que trabalha no coração do homem. Havia dinamite (*dynamis)* espiritual na mensagem, explosivo suficiente para demolir os ídolos (1.9). William Hendriksen diz que a dinamite do Espírito é diferente da dinamite física, pois onde esta se limita a operações destrutivas, naquela é também construtiva.[49] Paulo estava convencido de que nenhum método era por si suficiente para alcançar os corações. Ele dependia totalmente do poder do Espírito Santo em sua pregação. Paulo não colocava o uso da razão como algo contrário à ação do Espírito. Ele usava os melhores métodos e se esmerava na preparação da mensagem, mas confiava totalmente no poder do Espírito para aplicar a mensagem. Martyn Lloyd-Jones chega a dizer que se não houver poder, também não haverá pregação. A verdadeira pregação, afinal de contas, consiste na atuação de Deus. A pregação é lógica pegando fogo. É teologia em chamas. Pregação é teologia que extravasa de um homem que está em chamas.[50]

Paulo pregava aos ouvidos e aos olhos. Ele falava e demonstrava. Ele tinha palavra e poder. Por essa razão I. Howard Marshall chega a pensar que o poder que Paulo tem em mente seja o acompanhamento da mensagem falada por ações milagrosas que eram vistas com a confirmação divina da palavra (Gl 3.5; 1Co 1.6,7; 2Co 12.12; Rm 15.18,19; Hb 2.3,4).[51]

c. Em plena convicção. Paulo tinha plena convicção do poder da mensagem que anunciava. William Hendriksen diz que a convicção é um efeito imediato da presença e do poder do Espírito nos corações dos embaixadores. A referência aqui é à plena convicção dos missionários à medida que pregavam a Palavra.[52] Martyn Lloyd-Jones corrobora que Paulo sabia que algo estava acontecendo, e tinha consciência disso. Ninguém pode ser cheio do Espírito Santo, sem saber o que está acontecendo. Esse príncipe do púlpito evangélico ainda escreve:

> Esse enchimento do Espírito Santo propicia clareza de pensamento, clareza e facilidade de expressão, um profundo senso de autoridade e confiança na pregação, além da certeza de um poder vindo do exterior, que se manifesta ardentemente por todo o nosso ser, com um senso indescritível de alegria. Tornamo-nos homens "possessos", dominados, controlados [...] Nada provém de nosso próprio esforço; somos um mero instrumento, um canal, um veículo; o Espírito nos usa e contemplamos tudo com grande júbilo e admiração. Nada existe que ao menos possa começar a comparar-se a isso.[53]

## Uma imitação grandiosa (1.6,7)

Destacamos quatro fatos:

Em primeiro lugar, *a igreja imitou o modelo certo* (1.6). A igreja de Tessalônica imitou os missionários e o Senhor Jesus (1Co 11.1). A palavra "imitadores", *mimetai*, (de onde vem a nossa palavra mímica) descreve alguém que imita outra pessoa, particularmente para seguir seu exemplo ou ensino.[54] A igreja de Tessalônica recebeu não apenas as boas-novas do evangelho, mas também, uma nova vida em Cristo. Ela abraçou não apenas informação, mas também, transformação. Ela possuía não apenas uma boa teologia, mas também, uma nova ética.

Em segundo lugar, *a igreja recebeu a mensagem certa* (1.6b). A igreja de Tessalônica recebeu "a Palavra" mesmo sob um forte clima de hostilidade e perseguição. A igreja nasceu saudável porque sua fé foi estribada numa base certa, a semente cresceu e frutificou porque nasceu de um solo fértil. Hoje, muitas igrejas nascem doentes porque recebem palavras de homens, e não a Palavra de Deus. São alimentadas com o farelo das doutrinas humanas e não com o trigo da verdade divina. Os púlpitos estão pobres e almas estão famintas. Existe pouco de Deus nos púlpitos e muito do homem. O evangelho da graça, como pão nutritivo de Deus, está sendo negado ao povo e, em lugar dele, os pregadores estão dando uma sopa rala à igreja. Muitos púlpitos já abandonaram a pregação fiel e os pregadores já se renderam ao pragmatismo, buscando mais os aplausos dos homens que a glória de Deus; mais o lucro que a salvação; mais a prosperidade que a piedade.

Em terceiro lugar, *a igreja teve a reação certa* (1.6c). A igreja de Tessalônica recebeu a Palavra, em meio a muita tribulação, mas com alegria do Espírito Santo. A igreja de Tessalônica não ficou escandalizada nem decepcionada com Deus por causa das tribulações. Ela não perdeu a alegria devido às perseguições. Atualmente, há muitos obreiros fraudulentos que pregam um falso evangelho, prometendo às pessoas um evangelho sem cruz, sem dor, sem renúncia, sem sofrimento. O poder do evangelho está não apenas em nos livrar das tribulações, mas nos dar poder para enfrentá-las vitoriosamente.

Em quarto lugar, *a igreja tornou-se um modelo certo* (1.7). Os imitadores tornam-se exemplos. William Hendriksen assegura que quem não é imitador não pode se tornar exemplo.[55] A igreja não apenas seguiu o exemplo de Cristo e dos missionários, mas também, tornou-se exemplo para os demais crentes. A palavra utilizada por Paulo para "modelo", *typos*, significa marca visível, cópia, imagem, padrão, arquétipo, e, por conseguinte, exemplo. Originalmente a palavra denotava a marca deixada por um golpe. Depois foi usada num sentido ético de um padrão de conduta, mas, mais comumente, como aqui, de um exemplo a ser seguido.[56] Trata-se daquilo que deixa uma impressão desejável. Os crentes tessalonicenses eram a "impressão" de Cristo.[57] I. Howard Marshall por sua vez diz que a palavra "modelo" também significa um molde, ou a impressão feita por um carimbo. No sentido de "exemplo" pode significar não apenas um exemplo que outros devem seguir como também um padrão que os influencia.[58]

A igreja de Tessalônica aprendeu e depois passou a ensinar. Ela se tornou fonte de inspiração para os crentes da sua província, a Macedônia, no norte da Grécia, e também para os crentes da província da Acaia, no sul da Grécia. A igreja de Tessalônica inspirou pessoas da sua região e de lugares mais distantes. Tornou-se um luzeiro perto e também uma luz para os povos mais distantes.

## Uma influência auspiciosa (1.8,9)

Analisemos três pontos:

1. Uma repercussão abrangente (1.8). Os crentes de Tessalônica eram tanto receptores (1.5) quanto transmissores (1.8) do evangelho. A vida e o exemplo da igreja de Tessalônica ecoaram e repercutiram não apenas nas províncias de Macedônia e Acaia, mas também, por outras paragens além fronteiras. Por ser uma cidade comercial e por estar na rota da Via Egnátia, pessoas iam e vinham todos os dias a Tessalônica, a capital da província da Macedônia. A palavra empregada por Paulo para descrever o verbo "repercutiu", *eksechetai,* significa soar como uma trombeta.[59] Esta palavra deriva-se de *eksecheo,* que significa "fazer ressoar", "repercutir" como um sino que faz todos ouvirem seu sonido forte. O termo grego *eche* significa "som" como o ruído do mar, um barulho tumultuoso, como o de uma multidão. Essa é a palavra de onde vem o vocábulo moderno "eco". Assim, o evangelho ecoou por todo o império romano por intermédio da igreja de Tessalônica.[60] William Hendriksen assevera que esta palavra encerra a idéia de um arco parabólico ou uma caixa de som que reforça os sons e os transmite em várias direções.[61] A palavra sugere ainda um ecoar semelhante ao de trovão ou o soar de uma trombeta. A palavra indica que um som é ouvido, a partir de um local central, numa grande área em derredor. Como o verbo está no pretérito perfeito, denota uma atividade continuada do som. Os próprios cristãos tessalonicenses foram uma espécie de caixa acústica por meio da qual espalharam o evangelho pelas áreas em derredor.[62]

2. Uma conversão evidente (1.9a). A conversão é composta de dois elementos: arrependimento e fé. O arrependimento envolve razão, emoção e vontade. O verdadeiro

arrependimento é mudança de mente, é tristeza pelo pecado segundo Deus e mudança de conduta. A fé, por sua vez, é uma volta para Deus em total confiança em quem Deus é e no que Deus fez em Cristo. Assim, os crentes de Tessalônica demonstraram arrependimento quando deixaram seus ídolos e revelaram fé quando passaram a servir o Deus vivo. Isso é verdadeira conversão!

A maioria dos membros da igreja de Tessalônica era egressa do paganismo grego. Os gregos e os romanos tinham muitos deuses. O monte Olimpo, cujo famoso pico era considerado a morada dos deuses, localizava-se perto dali, a uns oitenta quilômetros a sudoeste da cidade. E conforme a tradição, quando Zeus sacudia sua divina cabeleira cacheada, aquela grande montanha tremia.[63] Os membros da igreja abandonaram seus ídolos e passaram a adorar e a servir o Deus vivo. Eles romperam com a idolatria e se converteram ao Senhor. Seus olhos foram abertos. Eles deixaram seus ídolos vãos e se voltaram para o Deus real. Seus ídolos eram imagens mortas, mas Deus, a quem se converteram, é a fonte da vida. Seus ídolos eram irreais, mas Deus é real e verdadeiro. Seus ídolos eram impotentes, incapazes de ajudar e socorrer, mas Deus é todo-poderoso e socorro no dia da angústia.

Quando a Escritura faz referência ao Deus vivo, é importante ressaltar que Deus não apenas está vivo, mas também é Ele quem a todos dá vida, tanto a vida da criação, quanto a nova vida da redenção.

3. Um serviço diligente (1.9b). Os tessalonicenses abandonaram os ídolos e se converteram a Deus não para viverem livres, mas para servirem o Deus vivo e verdadeiro. Eles abraçaram uma fé operosa. Eles se envolveram desde o começo, tornando-se uma igreja modelo, uma igreja

que fez ecoar e reverberar a voz do evangelho por todo o mundo conhecido da época.

### Uma expectativa gloriosa (1.10)

O autor Warren Wiersbe, ao fazer uma síntese da ação de Deus na vida da igreja de Tessalônica, escreveu:

> A operosidade de sua fé evidenciava-os como um povo eleito, pois deixaram seus ídolos, voltaram-se para Deus e creram em Jesus Cristo. A abnegação de seu amor tornava-os um povo exemplar e entusiasmado, que colocava em prática a Palavra de Deus e compartilhava o evangelho. A firmeza de sua esperança fazia deles um povo esperançoso, que aguardava a volta do Senhor.[64]

Antes de Paulo chegar aos tessalonicenses com o evangelho, eles eram pessoas sem esperança "[...] e sem Deus no mundo" (Ef 2.12). Porém, agora, recebem uma viva esperança. Três verdades são destacadas pelo apóstolo Paulo:

1. A expectativa da segunda vinda de Cristo (1.10a). William Hendriksen preceitua que não se deve perder de vista o pleno impacto do verbo "aguardar". Significa esperar feliz, com paciência e confiança. Não é apenas crer que Jesus vai voltar. É estar preparado para a Sua volta. Quando aguardamos um visitante, já deixamos tudo pronto para a sua chegada. Preparamos o quarto de hóspedes, a agenda de atividades, nosso horário disponível e outras obrigações, tudo de maneira a deixar a pessoa que nos visita inteiramente à vontade. Assim também, aguardar o Filho de Deus que virá dos céus implica um coração e uma vida santificada.[65] Concordo com Warren Wiersbe quando diz que não esperamos "sinais", mas sim o Salvador.[66]

A doutrina mais enfatizada nesta carta de Paulo aos tessalonicenses é a segunda vinda de Cristo. Eles aguardavam a volta iminente do Senhor Jesus. Eles se alimentavam dessa bendita esperança. Seus olhos estavam nos céus, de onde o Senhor virá. Concordo com William Barclay quando ele afirma: "O cristão é chamado a servir no mundo e a esperar a glória".[67]

A palavra utilizada por Paulo para descrever o verbo "aguardar" é *anamenein*, que significa esperar, aguardar. O pensamento chave aqui parece o de esperar por alguém cuja vinda foi anunciada, talvez com a idéia adicional de paciência e confiança. O tempo presente aponta para a espera contínua.[68] A iminente volta do Senhor Jesus é a esperança do cristão. Essa verdade está fartamente documentada no Novo Testamento (Lc 12.36; Rm 8.23; 1Co 11.26; 2Co 5.2; Gl 5.5; Fp 4.5; Tt 2.13; Hb 9.28; Tg 5.7-9; 1Pe 4.7; 1Jo 3.3; Ap 3.11; 22.7,12,20).

2. A base para a expectativa da segunda vinda de Cristo (1.10b). A igreja de Tessalônica esperava a segunda vinda de Cristo, porque tinha a convicção de que Deus O havia ressuscitado dentre os mortos. A esperança da segunda vinda seria totalmente vazia e desprovida de sentido sem o fato da ressurreição. Cristo morreu, ressuscitou, venceu a morte, retornou ao céu e por isso, vai voltar.

Se Deus ressuscitou Jesus dentre os mortos, segue-se que Ele agora está onde Deus está, a saber: nos céus, e o Deus que O ressuscitou pode trazê-Lo de volta à terra para o Seu povo, e o fará.[69]

3. O livramento que a igreja terá quando da segunda vinda de Cristo (1.10c). Para aqueles que estiverem despreparados, a segunda vinda de Cristo será um dia de trevas e não de luz, de desespero e não de esperança, de juízo e não de salvação. Para a igreja, que se converteu, que abraçou o evangelho, que se tornou modelo e irradiou sua bendita

influência não existe mais condenação. A igreja é liberta da ira vindoura quando crê. Não há mais temor quanto ao futuro. Não há mais condenação para os que estão em Cristo (Rm 8.1). A morte de Cristo foi o meio usado por Deus para livrar os homens da ira (4.9,10).

A ira de Deus não é orgulho ferido nem uma explosão de fúria caprichosa. Não é uma emoção descontrolada de uma pessoa zangada. Ao contrário, a ira de Deus é uma justa reação diante da maldade. A ira de Deus sempre é dirigida contra o mal e não é arbitrária e sem princípios.[70]

Minha oração é que as marcas dessa igreja que nasceu num parto de dor, mas cresceu vigorosamente e fez ecoar a mensagem do evangelho em todo o mundo, possam ainda hoje inspirar novas igrejas a se voltarem para Deus e a fazerem a obra de Deus com alegria, na dependência e no poder do Espírito Santo.

## Notas do capítulo 1

³¹ HENDRIKSEN, William. *1 e 2 Tessalonicenses*. Editora Cultura Cristã. São Paulo, SP. 1998: p. 56.
³² GLOAG, P. J. *1 Thessalonians*. In *The pulpit commentary*. Vol. 21. Wm. B. Eerdmans Publishing Company. Grand Rapids, Michigan. 1978: p. 1. Owen Collins. *The classic Bible commentary*. Crossway Books. Wheaton, Illinois. 1999: p. 1373.
³³ HENDRIKSEN, William. *1 e 2 Tessalonicenses*. 1998: p. 56,57.
³⁴ GLOAG, P. J. *1 Thessalonians*. In *The pulpit commentary*. Vol. 21. 1978: p. 1.
³⁵ MARSHALL, I. Howard. *I e II Tessalonicenses: Introdução e comentário*. Edições Vida Nova. São Paulo, SP. 1984: p. 69.
³⁶ BARCLAY, William. *Filipenses, Colosenses, I y II Tesalonicenses*. 1973: p. 193.
³⁷ MACDONALD, William. *Believer's Bible commentary*. Thomas Nelson Publishers. Nashville. 1995: p. 2023.
³⁸ HENDRIKSEN, William. *1 e 2 Tessalonicenses*. 1998: p. 63.
³⁹ MARSHALL, I. Howard. *I e II Tessalonicenses*. 1984: p. 70,71.
⁴⁰ MARSHALL, I. Howard. *I e II Tessalonicenses*. 1984: p. 72.
⁴¹ HENRY, Matthew. *Matthew Henry's commentary*. Marshall, Morgan & Scott, Ltda. Grand Rapids, Michigan. 1960: p. 1876.
⁴² RIENECKER, Fritz e ROGERS, Cleon. *Chave lingüística do Novo Testamento*. Edições Vida Nova. São Paulo, SP. 1985: p. 434.
⁴³ HENDRIKSEN, William. *1 e 2 Tessalonicenses*. 1998: p. 70.
⁴⁴ RIENECKER, Fritz e ROGERS, Cleon. *Chave lingüística do Novo Testamento*. 1985: p. 434.
⁴⁵ RIENECKER, Fritz e ROGERS, Cleon. *Chave lingüística do Novo Testamento*. 1985: p. 434.
⁴⁶ HENDRIKSEN, William. *1 e 2 Tessalonicenses*. 1998: p. 72,73.
⁴⁷ RIENECKER, Fritz e ROGERS, Cleon. *Chave lingüística do Novo Testamento*. 1985: p. 434.
⁴⁸ RIENECKER, Fritz e ROGERS, Cleon. *Chave lingüística do Novo Testamento*. 1985: p. 434.
⁴⁹ HENDRIKSEN, William. *1 e 2 Tessalonicenses*. 1998: p. 75.
⁵⁰ LLOYD-JONES, D. Martyn. *Pregação e pregadores*. Editora Fiel. São José dos Campos, SP. 1991: p. 69-71.
⁵¹ MARSHALL, I. Howard. *I e II Tessalonicenses*. 1984: p. 75.
⁵² HENDRIKSEN, William. *1 e 2 Tessalonicenses*. 1998: p. 75.
⁵³ LLOYD-JONES, D. Martyn. *Pregação e pregadores*. 1991: p. 238,239.

54 RIENECKER, Fritz e ROGERS, Cleon. *Chave lingüística do Novo Testamento.* 1985: p. 435.
55 HENDRIKSEN, William. *1 e 2Tessalonicenses.* 1998: p. 77,78.
56 RIENECKER, Fritz e ROGERS, Cleon. *Chave lingüística do Novo Testamento.* 1985: p. 435.
57 CHAMPLIN, Russell Norman. *O Novo Testamento interpretado versículo por versículo.* Vol. 6. N.d: p. 172.
58 MARSHALL, I. Howard. *I e II Tessalonicenses: Introdução e comentário.* 1984: p. 77.
59 WIERSBE, Warren W. *Comentário bíblico expositivo.* Vol. 6. 2006: p. 209.
60 CHAMPLIN, Russell Norman. *O Novo Testamento interpretado versículo por versículo.* Vol. 6. N.d: p. 172.
61 HENDRIKSEN, William. *1 e 2Tessalonicenses.* 1998: p. 78.
62 RIENECKER, Fritz e ROGERS, Cleon. *Chave lingüística do Novo Testamento.* 1985: p. 435; MARSHALL, I. Howard. *I e II Tessalonicenses.* 1984: p. 77.
63 HENDRIKSEN, William. *1 e 2Tessalonicenses.* 1998: p. 82.
64 WIERSBE, Warren W.. *Comentário bíblico expositivo.* Vol. 6. 2006: p. 210.
65 HENDRIKSEN, William. *1 e 2Tessalonicenses.* 1998: p. 84.
66 WIERSBE, Warren W. *Comentário bíblico expositivo.* Vol. 6. 2006: p. 211.
67 BARCLAY, William. *Filipenses, Colosenses, I y II Tesalonicenses.* 1973: p. 195.
68 RIENECKER, Fritz e ROGERS, Cleon. *Chave lingüística do Novo Testamento.* 1985: p. 435.
69 MARSHALL, I. Howard. *I e II Tessalonicenses.* 1984: p. 81.
70 MARSHALL, I. Howard. *I e II Tessalonicenses.* 1984: p. 81.

**Capítulo 2**

# Os atributos de um líder espiritual
(1Ts 2.1-20)

PAULO FOI UM LÍDER por excelência. Seu legado serve de balizas para os líderes ainda hoje. Evidencio três atributos desse líder servo que devem ornar nossa vida:

1. Um líder espiritual não busca conforto, mas conversões. O apóstolo Paulo acabara de enfrentar uma prisão ilegal em Filipos. Ele fora preso e torturado, mas em vez dessa situação o desencorajar, deu-lhe ainda mais disposição para viajar para Tessalônica e prosseguir no ministério de pregação do evangelho. Um verdadeiro ministro do evangelho busca conversões em vez de conforto e conveniência. Em vez de ganhar a vida pelo evangelho, ele estava pronto a dar a vida pelo evangelho.

2. Um líder espiritual não busca lucro, mas trabalho. Paulo não foi para Tessalônica para tirar proveito dos tessalonicenses, mas legar algo a eles. Paulo não foi à capital da província da Macedônia para levar vantagem, mas para doar. Ele não foi para ganhar dinheiro, mas para ganhar almas. Sua motivação não era o lucro, mas a salvação das almas.

Paulo se dispôs a abrir mão de direitos legítimos e trabalhar com as mãos para o seu sustento para manter o privilégio de pregar o evangelho. O ministério não é uma plataforma de lucro, mas um campo de trabalho. É lamentável que alguns obreiros estejam transformando o evangelho num produto, o púlpito num balcão, o templo numa praça de barganha e os crentes em consumidores. O maior bandeirante do cristianismo, o maior plantador de igrejas da História, o maior teólogo e evangelista da Igreja primitiva, o apóstolo Paulo, terminou sua vida pobre, sozinho, e condenado à morte. Porém, nenhum rei, aristocrata, pensador ou filósofo é mais conhecido na História do que esse extraordinário apóstolo.

3. Um líder espiritual não busca aplauso dos homens, mas a aprovação de Deus. Paulo era um pastor e não um bajulador. Ele não pregava para agradar a homens, mas para ser aprovado por Deus. Ele não buscava aplausos e reconhecimentos humanos, mas lutava para ser irrepreensível diante de Deus.

Um bajulador se empenha em tornar a mensagem palatável e atraente para agradar as pessoas. Ele busca a sua glória pessoal e não a glória de Deus. Ele está mais interessado em promover o seu nome do que exaltar o nome de Cristo. Ele está mais interessado em arrancar os aplausos dos homens do que ser aprovado por Deus. Está mais interessado em ser amado na terra do que ser conhecido no céu.

O capítulo 2 desta carta é uma defesa de Paulo aos vários ataques sofridos dos inimigos quanto à sua pessoa, à sua mensagem, aos seus propósitos e aos seus métodos. William Hendriksen escreve que Paulo se defendeu porque sabia que se os inimigos fossem bem-sucedidos em suscitar desconfiança em relação à pessoa do mensageiro, a mensagem teria sofrido uma morte natural.[71]

Vamos analisar o texto de 1Tessalonicenses 2.1-20 e observar os atributos de um líder espiritual.

**Um evangelista frutífero (2.1-3)**

Paulo foi evangelista de qualidades superlativas. Ele foi um pregador ungido e um profícuo ganhador de almas. Três características despontam nele como um pregador evangelista:

1. Paulo foi um ganhador de almas prolífico (2.1). Paulo tinha um frutífero ministério. Ele não era um obreiro vazio e estéril, mas um grande ganhador de almas. Paulo foi o maior teólogo do cristianismo e também o maior evangelista. Ele era um missionário plantador de igrejas e também um zeloso e dedicado pastor. Atualmente, os teólogos não querem ser evangelistas nem os evangelistas teólogos.

Paulo era um ganhador de almas. Por onde passava, deixava muitos frutos do seu trabalho. Sua estada em Tessalônica não foi infrutífera. Em apenas três semanas há registros de multidão de pessoas sendo salva. Não há outra explicação para esse estupendo resultado senão uma intervenção poderosa do Espírito Santo aplicando a Palavra nos corações.

2. Paulo foi um pregador abnegado (2.1,2). Paulo e Silas tinham sido espancados e ultrajados em Filipos e mesmo assim foram a Tessalônica e pregaram o evangelho. Muitos

poderiam tirar férias ou dar um tempo no ministério depois de tão violenta perseguição, mas Paulo se dispôs a pregar a Palavra de Deus ousadamente em Tessalônica como os outros apóstolos de Jerusalém (At 4.13,29,31). O ministério de pregação em Tessalônica foi também em meio a uma luta agônica.

Os críticos de Paulo queriam desacreditar sua pessoa, assacando contra ele pesadas e levianas acusações. Havia quem dizia em Tessalônica que Paulo tinha ficha policial e que não era mais que um delinqüente que estava fugindo da Justiça, e que obviamente não se podia dar ouvidos a um homem dessa índole.[72] Porém, assim como as trevas não podem prevalecer contra a luz e a mentira não pode triunfar sobre a verdade, as acusações mentirosas dos inimigos não puderam destruir a reputação do apóstolo.

3. Paulo foi um encorajador sincero (2.3). Paulo pregou o evangelho puro, viveu uma vida pura e usou métodos puros. Ele não removeu nada da Palavra nem acrescentou coisa alguma a ela. Não havia contradição entre o que destilava dos seus lábios e o que subia do seu coração.

A palavra "exortação" usada por Paulo, *paraklasis*, indica apelo, tendo como objeto o benefício dos ouvintes, e que pode ser exortativo ou conciliatório, conforme as circunstâncias. A palavra era utilizada para encorajar soldados antes da batalha, e se dizia que o encorajamento era necessário para soldados pagos, mas desnecessária para os que lutavam por suas vidas e seus países.[73] Warren Wiersbe afirma que Paulo ensina aqui três importantes verdades: a mensagem do seu ministério, o motivo do seu ministério e o método do seu ministério.[74] Vejamos essas três verdades:

a. A mensagem do seu ministério (2.3a). Paulo pregava o puro evangelho. A primeira coisa que Paulo faz é reafirmar a veracidade de sua mensagem, quando diz: "Pois a nossa exortação não procede de engano" (2.3a). A mensagem de Paulo não era criada por ele, mas recebida de Deus. Seis vezes nesta carta, ele menciona esse auspicioso fato de que havia recebido o evangelho de Deus e não de homens.

b. O motivo do seu ministério (2.3b). Paulo vivia uma vida pura. Ele deixa claro o motivo pelo qual realizava seu ministério. A sua exortação não procedia de impureza (2.3b). É geralmente reconhecido que o pensamento aqui não se refere à impureza física ou ritual, mas, sim, à impureza moral.[75] Alguns acusavam Paulo de estar fazendo a obra com a motivação errada. Porém, seus motivos eram puros diante de Deus e dos homens. Uns pregavam a mensagem errada com a motivação errada; outros pregavam a mensagem certa com a motivação errada (Fp 1.14-19), mas Paulo pregava a mensagem certa com a motivação certa.

c. O método de seu ministério (2.3c). Paulo não enganava as pessoas. Ele não empregava métodos desonestos a fim de que as pessoas acreditassem na sua mensagem, relata I. Howard Marshall.[76] O termo grego traduzido por "dolo" tem o sentido de "colocar a isca no anzol". Em outras palavras, Paulo não pegava as pessoas em armadilhas prometendo a salvação, como um vendedor astuto faz para as pessoas comprarem seus produtos. A salvação não se dá por uma argumentação engenhosa nem por uma apresentação refinada. Antes, é resultado da Palavra de Deus e do poder do Espírito Santo (1.5).[77]

Nos dias de Paulo a religião estava se transformando num meio de se conseguir dinheiro (2.5). Mas Paulo dá seu testemunho de integridade na área financeira (2.9; 2Ts

3.8-10). Ele era um obreiro muito atento quanto à transparência na questão do dinheiro (1Co 9.1-18), e chegou a abrir mão do seu legítimo direito de sustento para não comprometer o progresso do evangelho. William Hendriksen escreve que o mundo daqueles dias estava saturado de "filósofos", ilusionistas, feiticeiros, charlatões e trapaceiros ambulantes. Eles usavam de muita lábia com o fim de impressionar os ouvintes.[78] Paulo não era um charlatão e embusteiro como eles. Ele jamais usou a mensagem de Deus para propósitos gananciosos.

**Um mordomo fiel (2.4-6)**

Destaco dois aspectos fundamentais de Paulo como um mordomo fiel:

1. Paulo foi um obreiro aprovado diante de Deus (2.4). Paulo foi aprovado por Deus, por isso Deus lhe confiou o evangelho. O verbo aqui está no aspecto contínuo que sugere que o escrutínio de Deus não é, por assim dizer, um vestibular único, de uma vez para sempre, para seus servos; e, sim, um processo continuamente operativo daquilo que hoje em dia poderia ser chamado de "controle de qualidade".[79]

A palavra grega *dedokimasmetha*, utilizada por Paulo para "aprovado", era usada no grego clássico com o sentido técnico de descrever a pessoa aprovada como alguém passível de eleição para um cargo público.[80] Paulo tinha não apenas a revelação, mas também, aprovação. Ele possuía o conteúdo glorioso do evangelho de Deus e uma vida reta diante do Senhor. Sua pregação era respaldada pela sua vida, e seu ministério foi plantado no solo fértil de uma vida piedosa. Vida com Deus precede ministério para Deus. A vida é a base do ministério e precede ao ministério.

A maior prioridade do obreiro não é fazer a obra de Deus, mas ter comunhão com o Deus da obra (Mc 3.14). Vida com Deus é a base do trabalho para Deus. Na verdade, Deus está mais interessado em quem nós somos do que no que nós fazemos.

Paulo pregava para agradar a Deus e não a homens. Ele não pregava o que o povo queria ouvir, mas o que o povo precisava ouvir. Ele não pregava para entreter os bodes, mas para alimentar as ovelhas. A pregação da verdade não é popular, mas é vital para a salvação.

2. Paulo foi um obreiro irrepreensível diante dos homens (2.5,6). O apóstolo Paulo menciona três fatores da sua irrepreensibilidade diante dos homens:

a. Ele não era um bajulador (2.5a). A palavra usada por Paulo para "bajulação" é *kolakeia*, que descreve sempre a adulação que pretende ganhar algo, a lisonja por motivos de lucros.[81] Fritz Rienecker, nessa mesma linha de pensamento, afirma que essa palavra grega contém a idéia de enganar com fins egoístas. Não é apenas uma palavra fiada para dar prazer a outras pessoas, mas a fim de ter lucro. É o engano mediante a eloqüência, para ganhar os corações das pessoas a fim de explorá-las.[82]

O bajulador é aquele que fala uma coisa e sente outra. Ele tem a voz macia como a manteiga e o coração duro como uma pedra. Ele tem palavras aveludadas e uma motivação ferina como uma espada (Mc 7.6). Havia plena sintonia entre o que Paulo falava e o que ele sentia. Paulo apresenta seu testemunho diante de todos: "[...] como sabeis" (1.5; 2.1,5,11; 3.3,4; 4.2;5.2). E também dá seu testemunho diante de Deus: "Deus disto é testemunha" (2.5).

b. Ele não era um mercenário (2.5b). A palavra grega *pleonexia*, traduzida por "ganância" indica a cobiça de todos os tipos, e, portanto, o desejo de despojar outras pessoas daquilo que lhes pertence.[83]

Paulo não pregava para arrancar o dinheiro das pessoas, mas para arrancar-lhes do peito o coração de pedra, a fim de receberem um coração de carne. Paulo não buscava lucro, mas salvação. Sua recompensa não era dinheiro, mas vidas salvas. Os motivos de Paulo em fazer a obra de Deus eram puros. Ele não fazia do ministério uma plataforma para se enriquecer. Ele não estava atrás do dinheiro das pessoas, mas ansiava pela salvação delas.

c. Ele não era um megalomaníaco (2.6). Paulo não pregava para alcançar glória e prestígio humano, não andava atrás de lisonjas humanas. Ele não buscava prestígio pessoal nem glória de homens. Ele não dependia desse reprovável expediente, pois sabia quem era e o que devia fazer. Ele não precisava bajular nem receber bajulação. Sua realização pessoal não procedia da opinião das pessoas, mas da aprovação de Deus. É digno observar que em 1Tessalonicenses 1.5, Paulo não tenha dito: "Eu cheguei até vós", mas disse: "O nosso evangelho chegou até vós". O foco não estava no homem, mas no evangelho.[84] O culto à personalidade é um pecado. Toda a glória que não é dada a Deus é vanglória, é glória vazia.

### Uma mãe carinhosa (2.7,8)

Quatro verdades sublimes são aqui sublinhadas:

1. Como uma mãe, Paulo abriu mão de seus direitos (2.7). A palavra grega usada por Paulo para "ama" é *trófos*, alguém que alimenta, ama, babá, enfermeira. Uma ama no mundo antigo não somente tinha estipulações contratuais estritas, mas com freqüência vinha a ser uma pessoa da inteira confiança, cuja influência era duradoura.[85]

Concordo, entretanto, com William Hendriksen, quando escreve:

> Com toda probabilidade, o sentido não é "como quando uma nutriz cuida dos filhos de sua patroa", ou seja, os filhos foram postos sob o cuidado dessa nutriz (mãe de leite); mas "como quando uma nutriz é a mãe que aquece, afaga, acaricia os filhos de seu próprio ventre (visto que ela mesma lhes deu à luz).[86]

Uma mãe é aquela que quando tem apenas um pão para repartir fala para o filho que não está com fome. Uma mãe se dispõe a abrir mão dos seus direitos a favor dos filhos. De modo semelhante, Paulo tinha o direito de exigir dos tessalonicenses o seu sustento,[87] mas, ele abnegada e voluntariamente abriu mão desses direitos para suprir as necessidades dos tessalonicenses como uma ama carinhosa que acaricia os próprios filhos. Paulo não era um mercenário, mas um pastor. Ele não apascentava a si mesmo, mas o rebanho de Deus. Ele colocava a necessidade dos outros acima das suas próprias necessidades.

2. Como uma mãe, Paulo cuidou dos seus filhos espirituais com ternura (2.7). Paulo tratou os crentes de Tessalônica carinhosamente como uma ama que acaricia seus filhos. A ênfase do mordomo é fidelidade. A ênfase da mãe é gentileza e ternura. Como um apóstolo, ele tinha autoridade, mas sempre a exerceu com amor.[88] Paulo era igual a uma mãe afetuosa cuidando de um bebê. Ele demonstrou pelos seus filhos na fé, amor intenso, cuidado constante, dedicação sem reservas, paciência triunfadora, provisão diária, afeto explícito, proteção vigilante e disciplina amorosa.

Muitos obreiros lideram o povo de Deus com truculência e com rigor despótico. São ditadores implacáveis e não pastores amorosos. Esmagam as ovelhas com sua autoridade auto-imposta em vez de conduzir o rebanho com a ternura de uma mãe.

3. Como uma mãe, Paulo cuidou dos seus filhos espirituais com sacrifício cabal (2.8). Paulo estava pronto a dar a própria vida pelos crentes de Tessalônica. O pastor verdadeiro, aquele que imita o supremo pastor, dá a vida pelas suas ovelhas (Jo 10.11). Ele não vive para explorá-las, mas para servi-las. Seu ministério é de doação e não de exploração. Seu sacrifício é cabal, igual a uma mãe que está pronta a dar sua própria vida para proteger o filho. Seu amor é sacrificial. Foi esse fato que permitiu ao rei Salomão descobrir qual mulher era a mãe verdadeira da criança sobrevivente (1Rs 3.16-28).

A mãe que amamenta oferece parte da própria vida ao filho. A mãe que amamenta não pode entregar seu filho aos cuidados de outra pessoa. O bebê deve ficar em seus braços, próximo a seu coração. A mãe que amamenta ingere os alimentos e os transforma em leite para o filho. O cristão maduro alimenta-se da Palavra de Deus e compartilha esse alimento com os cristãos mais novos, para que possam crescer (1Pe 2.1-3). Uma criança que ainda mama pode ficar doente por causa de algo que a mãe ingeriu. O cristão que está nutrindo outros deve ter cuidado para que ele próprio não se alimente de coisas erradas.[89]

4. Como uma mãe, Paulo cuidou dos seus filhos espirituais com a melhor provisão (2.8b). Paulo se sacrificou para oferecer aos crentes o evangelho de Deus. Ele não pregou em Tessalônica vãs filosofias, mas expôs as Escrituras. Ele pregou não estribado em sabedoria humana, mas no poder do Espírito Santo. Sua pregação não era uma lisonja para fazer cócegas nos ouvidos nem um instrumento para massagear o ego dos líderes da sinagoga. Ele pregou o evangelho

de Deus. Ele ofereceu ao povo o pão nutritivo da verdade. Os púlpitos estão pobres da Palavra. A igreja está faminta da Palavra. A igreja precisa desesperadamente voltar-se para a pregação fiel da Palavra. Se os pastores não derem pão ao seu rebanho, as ovelhas ficarão fracas e vulneráveis às falsas doutrinas que invadem o aprisco da fé.

### Um pai exemplar (2.9-12)

Um verdadeiro pai não é apenas o que gera filhos, mas também o que cuida deles. Vamos ver alguns pontos no ministério de Paulo como pai espiritual dos tessalonicenses.

Quatro aspectos definem o ministério de pai exercido por Paulo:

1. Um trabalho memorável (2.9). Apesar de a igreja de Filipos enviar dinheiro para ajudá-lo em Tessalônica duas vezes (Fp 4.15,16), embora, fosse seu direito exigir sustento da igreja (2.7), Paulo decidiu trabalhar para se sustentar (2Ts 3.6-12). O pai trabalha para sustentar a família. Ninguém podia acusá-lo responsavelmente de ganância financeira (At 20.31; 2Co 12.14). Mesmo tendo o direito legítimo de exigir seu sustento, não dependia dele para fazer a obra de Deus. Paulo não estava no ministério por causa do salário. Sua motivação nunca foi o dinheiro, mas a glória de Deus, a salvação dos perdidos e a edificação da igreja.

2. Um procedimento irretocável (2.10). Paulo evoca o testemunho de Deus e da igreja acerca do seu procedimento no meio dos tessalonicenses. Ele tinha uma relação certa com Deus, consigo e com a igreja. I. Howard Marshall expressa que os três adjetivos (que representam advérbios gregos) têm significados próximos entre si, e são colocados juntos visando sua ênfase.[90] Vejamos esses três adjetivos:

*Paulo viveu de forma piedosa* (2.10). O termo grego *hosios*, "piamente", "santamente" descreve o dever da pessoa para com Deus.[91] Isso fala da correta relação de Paulo com Deus. A piedade tem a ver com uma vida de santidade, pureza e fidelidade a Deus. A piedade trata da verticalidade da vida.

*Paulo viveu de forma justa* (2.10). O termo grego *dikaios* indica o dever para com os homens.[92] Isso também fala de uma relação correta consigo mesmo. Paulo era um homem íntegro, inteiro, e sem dupla face. Não havia brechas no escudo de sua fé. Não havia áreas escuras no seu caráter. Ele podia viver em paz com sua própria consciência.

*Paulo viveu de forma irrepreensível* (2.10). A palavra grega *amemptos*, usada para descrever o advérbio "irrepreensivelmente" tem a ver com o reflexo público da vida. Isso fala de uma relação correta com os outros. Seus inimigos podiam odiá-lo, acusá-lo, e até assacar contra ele pesadas e levianas acusações, mas não podiam encontrar nada para envergonhá-lo. Paulo era um obreiro irrepreensível.

3. Palavras encorajadoras (2.11,12). Um pai não deve apenas sustentar a família com trabalho e ensinar-lhe com seu exemplo, mas também deve ter tempo para conversar com os membros da família, escreve Warren Wiersbe.[93] Paulo sabia da importância de ensinar os novos crentes. Quatro verdades nos chamam a atenção nesse ponto:

a. Paulo ensinava cada filho espiritual individualmente (2.11). Paulo não era um pregador estrela que só gostava do glamour da multidão. Ele passava tempo com cada pessoa. Paulo não era um *show-man*, um ator, um astro que sobe a um palco sob as luzes da ribalta para entreter uma multidão. Ele era um pai para quem cada filho tinha um valor singular e por quem estava pronto a dar sua própria vida.

b. Paulo exortava cada filho na fé (2.12a). A palavra "exortar" traz a idéia de estar do lado para encorajar. Um pai responsável equilibra disciplina com encorajamento. Ele usa a vara e também ministra amor. Ele tem firmeza e doçura. Ele faz dos filhos seus verdadeiros discípulos.

c. Paulo consolava cada filho na fé (2.12b). Esta palavra está ligada à ação. Paulo não apenas os fez sentirem-se melhor, mas os encorajou a fazerem coisas melhores.

d. Paulo admoestava cada filho na fé (2.12c). Essa palavra "admoestar" vem da palavra grega *nouthesia*, que significa confronto. O papel de um pai não é em todo o tempo agradar os filhos, mas prepará-los para a vida. James Hunter, em seu livro *O monge e o executivo*, escreve que um pai precisa distinguir entre desejo e necessidade. O papel do pai não é atender a todos os desejos dos filhos, mas suprir suas necessidades. Um pai responsável confronta seus filhos, ainda que esse expediente tenha de levá-los às lágrimas.

4. Propósito sublime (2.12d). O propósito de Paulo ao ensinar os seus filhos na fé era que eles vivessem de modo digno de Deus. O termo "digno" utilizado por Paulo traz a idéia de uma balança, onde nossa vida deve equilibrar-se com a vida de Cristo. O alvo de Paulo era levar os crentes à maturidade espiritual. Os tessalonicenses deveriam atingir a plenitude da estatura de Cristo.

### Um pastor amoroso (2.13-20)

O pastorado é uma mistura de alegrias e lágrimas, de conquistas e sofrimento. O pastor participa das vitórias e perdas do rebanho. Celebra o nascimento e chora com o luto. Vai de uma festa de núpcias para o momento amargo de um velório num mesmo dia.

Warren Wiersbe fala sobre três recursos divinos que temos nos tempos de sofrimento e perseguição: A Palavra de Deus dentro de nós, o povo de Deus ao redor de nós e a glória de Deus diante de nós.[94] Vamos considerar esses recursos.

1. A Palavra de Deus dentro de nós (2.13). Da pregação da mensagem, Paulo se volta para o recebimento dela, e encontra razão para dar graças a Deus pela resposta positiva dos tessalonicenses.[95] A igreja de Tessalônica recebeu a Palavra de Deus como Palavra de Deus. Eles a tiveram em alta conta. A Palavra tornou-se de fato para eles a única regra de fé e prática. A mesma Palavra que os salvara (1.6), os capacita a viver vitoriosamente em Cristo mesmo em meio às perseguições. A igreja contemporânea precisa resgatar o glorioso significado e valor da Palavra. Precisamos não apenas conhecê-la, mas também, obedecê-la. Paulo destaca três fatos importantes:

a. Eles apreciaram a Palavra (2.13). Eles não a receberam apenas como palavras de homens, mas, sobretudo, como Palavra de Deus. A Bíblia é a palavra revelada e escrita de Deus, infalível, inerrante e suficiente. Ela é melhor do que o melhor dos alimentos (Sl 19.10) e mais preciosa do que a melhor das riquezas (Sl 119.14,72,127,162).

b. Eles se apropriaram da Palavra (2.13). A palavra "acolheram" usada por Paulo significa mais do que ouvir. Significa ouvir com o coração e internalizar a Palavra. É ouvir e levar a sério. Nesse tempo em que muitas igrejas têm substituído a pregação pelo entretenimento, precisamos nos acautelar (2Tm 4.2,3). Não há esperança para a igreja fora da Palavra. Não há vida abundante para a igreja sem a

Palavra. Não precisamos buscar as novidades do mercado da fé, mas buscar as finas iguarias da mesa de Deus. A Bíblia é um banquete com alimento rico, nutritivo e variado. Nela temos tudo que precisamos para crescer na graça e no conhecimento de Cristo.

c. Eles aplicaram a Palavra (2.13). A Palavra de Deus estava operando eficazmente nos crentes. Houve aplicação da Palavra e a Palavra aplicada gerou mudança e transformação de vida. A Palavra de Deus em nós é uma grande fonte de poder nos tempos de prova.

2. O povo de Deus ao redor de nós (2.14-16). A prova de que os tessalonicenses tinham recebido verdadeiramente a Palavra podia ser vista na sua disposição de passar por aflições em prol da sua fé, resposta esta que os colocou lado a lado com outros cristãos e, na realidade, com o próprio Jesus, relata I. Howard Marshall.[96]

Quando estamos passando por uma tribulação somos levados a pensar que estamos sozinhos e que o nosso sofrimento é o maior do mundo. Mas precisamos levantar os olhos e saber que há outras pessoas passando pelos mesmos sofrimentos e que assim como Deus os sustenta, nos sustentará também. Paulo encoraja os tessalonicenses em meio à perseguição dizendo-lhes que eles estavam pisando no mesmo terreno onde os santos pisaram.

Os crentes de Tessalônica imitaram não apenas a Paulo e o Senhor Jesus, mas também os crentes de Jerusalém. Paulo compara os crentes de Tessalônica aos crentes da Judéia porque ambos eram objetos da perseguição dos judeus. Paulo encoraja os crentes, dizendo que o sofrimento deles não era uma experiência isolada. Outros já tinham sofrido antes deles e ainda outros estavam sofrendo com eles. Porém, assim como o sofrimento não destruiu a igreja da Judéia, antes a purificou enquanto seus perseguidores estavam enchendo a medida dos seus pecados, assim Deus nos livrará e derramará sobre os que nos perseguem o Seu justo juízo.

3. A glória de Deus diante de nós (2.17-20). A escatologia para Paulo nunca foi tema de especulação acadêmica, mas um assunto prático que o encorajava a viver em santidade e a trabalhar com ardor. No que concerne ao seu zelo pastoral, Paulo apresenta aqui três importantes verdades:

a. Paulo gostava de cheiro de ovelha (2.17,18). Paulo estava ausente da igreja apenas fisicamente, mas conservava o rebanho no coração. Ele não tinha pressa para deixá-los, mas ânsia para estar com eles. Embora não pudesse haver nenhum encontro face a face com seus filhos na fé, não deixavam de estar bem perto dele nos seus pensamentos e sentimentos: longe da vista, mas não longe do coração.[97] Os crentes eram considerados como sua coroa e alegria.

b. Paulo via o pastorado como um campo de batalha espiritual (2.18). Enfrentamos não apenas perseguição visível, mas também resistência invisível. Satanás está em ação para impedir o avanço missionário da igreja. A palavra que Paulo usou, *enékoptein,* significa cortar e impedir. É a palavra técnica que expressa o bloqueio de uma estrada para frear a marcha de uma expedição.[98] Nessa mesma linha de pensamento, Fritz Rienecker afirma que a palavra era usada originalmente para a obstrução de uma estrada para torná-la intransitável e, mais tarde, foi utilizada para indicar uma ruptura nas linhas do inimigo, numa metáfora militar. Também era empregada no sentido atlético de cortar alguém durante uma corrida.[99] Satanás sempre tenta colocar obstáculos no caminho do cristão. Ele resiste à obra de Deus e aos obreiros de Deus.

É sugestivo o que escreve William Hendriksen sobre este ponto:

> Satanás impedia que os missionários levassem a bom termo o seu regresso a Tessalônica. Exatamente como é que Satanás fez isso? Porventura influenciando as mentes dos politarcas de Tessalônica, de modo que levassem Jasom a perder sua fiança (At 17.9) caso os missionários voltassem? Ou trazendo de outra parte um contingente suficiente de dificuldades de modo que nem Paulo sozinho nem todos os três tivessem como regressar? Realmente não sabemos. Além do mais, isso não tem importância. O fato, por si só, que Satanás exerce poderosa influência nas atividades dos homens, especialmente quando se esforçam para promover os interesses do reino de Deus, é suficientemente claro à luz de outras passagens (Jó 2.6-12; Zc 3.1; Dn 10.10-21). Nada obstante, Deus reina sempre de forma suprema, soberanamente transformando o mal em bem (1Co 12.7-9). Ainda quando o diabo tenta desfazer o caminho, estabelecendo mentira, bloqueando assim, aparentemente, nosso avanço, o plano secreto de Deus jamais é frustrado. Satanás pode interromper-nos, impedindo-nos de realizar o que, por um momento, nos parece o melhor; os caminhos de Deus, porém, são sempre melhores que os nossos.[100]

c. Paulo olhava para cada filho na fé como uma coroa a receber de Cristo na sua volta (2.19,20). Paulo não apenas declara seu amor público pelos crentes, mas também se alegra por pensar no dia de Cristo e lembrar que cada crente que ele ganhou será como uma coroa de um vencedor.

Precisamos não apenas aguardar a segunda vinda de Cristo (1.10), mas também, ganhar outras pessoas para apresentarmos ao Senhor na Sua volta (2.19,20). No grego existem dois termos distintos para descrever "coroa". Um, *diadema,* usa-se quase exclusivamente para a coroa real. O outro, *stefanos,* quase exclusivamente para a coroa de um vencedor em alguma lide ou competição atlética. Aqui, Paulo utiliza *stefanos*. Paulo via os crentes de Tessalônica como sua coroa. A maior glória de um crente não é conquistar riquezas, mas ganhar almas.[101] A Bíblia diz que quem ganha almas é sábio (Pv 11.30).

### Notas do capítulo 2

[71] HENDRIKSEN, William. *1 e 2 Tessalonicenses*. 1998: p. 87.
[72] BARCLAY, William. *Filipenses, Colosenses, I y II Tesalonicenses*. 1973: p. 196.
[73] RIENECKER, Fritz e ROGERS, Cleon. *Chave lingüística do Novo Testamento grego*. 1985: p. 436.
[74] WIERSBE, Warren W. *Comentário bíblico expositivo*. Vol. 6. 2006: p. 212,213.
[75] MARSHALL, I. Howard. *1 e 2 Tessalonicenses*. 1984: p. 87.
[76] MARSHALL, I. Howard. *1 e 2 Tessalonicenses*. 1984: p. 88.
[77] WIERSBE, Warren W. *Comentário bíblico expositivo*. Vol. 6. 2006: p. 213.
[78] HENDRIKSEN, William. *1 e 2 Tessalonicenses*. 1998: p. 91.
[79] MARSHALL, I. Howard. *1 e 2 Tessalonicenses*. 1984: p. 88.
[80] RIENECKER, Fritz e ROGERS, Cleon. *Chave lingüística do Novo Testamento grego*. 1985: p. 436.
[81] BARCLAY, William. *Filipenses, Colosenses, I y II Tesalonicenses*. 1973: p. 197.
[82] RIENECKER, Fritz e ROGERS, Cleon. *Chave lingüística do Novo Testamento grego*. 1985: p. 436.
[83] MARSHALL, I. Howard. *1 e 2 Tessalonicenses*. 1984: p. 90.
[84] BARCLAY, William. *Filipenses, Colosenses, I y II Tesalonicenses*. 1973: p. 198.
[85] RIENECKER, Fritz e ROGERS, Cleon. *Chave lingüística do Novo Testamento grego*. 1985: p. 437.
[86] HENDRIKSEN, William. *1 e 2 Tessalonicenses*. 1998: p. 94.
[87] Tt 1.11; 1Co 6.15; At 20.33; 1Co 11.8; Fp 4.15,16; 1Ts 2.7-9; At 18.13; 2Co 11.7; 2Ts 3.8,10.
[88] WIERSBE, Warren W. *Comentário bíblico expositivo*. Vol. 6. 2006: p. 213,214.
[89] WIERSBE, Warren W. *Comentário bíblico expositivo*. Vol. 6. 2006: p. 214.
[90] MARSHALL, I. Howard. *1 e 2 Tessalonicenses*. 1984: p. 97.
[91] RIENECKER, Fritz e ROGERS, Cleon. *Chave lingüística do Novo Testamento grego*. 1985: p. 438.
[92] RIENECKER, Fritz e ROGERS, Cleon. *Chave lingüística do Novo Testamento grego*. 1985: p. 438.
[93] WIERSBE, Warren W. *Comentário bíblico expositivo*. Vol. 6. 2006: p. 215.

[94] WIERSBE, Warren W. *Comentário bíblico expositivo.* Vol. 6. 2006: p. 217-221.
[95] MARSHALL, I. Howard. *1 e 2Tessalonicenses.* 1984: p. 100.
[96] MARSHALL, I. Howard. *1 e 2Tessalonicenses.* 1984: p. 102.
[97] MARSHALL, I. Howard. *1 e 2Tessalonicenses.* 1984: p. 110.
[98] BARCLAY, William. *Filipenses, Colosenses, I y II Tesalonicenes.* 1973: p. 200,201.
[99] RIENECKER, Fritz e ROGERS, Cleon. *Chave lingüística do Novo Testamento grego.* 1985: p. 439.
[100] HENDRIKSEN, William. *1 e 2Tessalonicenses.* 1998: p. 112.
[101] BARCLAY, William. *Filipenses, Colosenses, I y II Tesalonicenses.* 1973: p. 201.

# Capítulo 3

# As marcas de um pastor de almas
(1Ts 3.1-13)

WARREN WIERSBE ESCREVE QUE nos dois primeiros capítulos desta carta o apóstolo Paulo mostrou como a Igreja nasceu e como ele a pastoreou. Agora, trata do passo seguinte no processo do amadurecimento: como a Igreja deve se manter firme em sua posição em meio às tribulações.[102]

A firmeza na fé dos crentes tessalonicenses é o grande foco deste capítulo. Cinco vezes nos dez primeiros versículos, Paulo fala sobre a fé dos tessalonicenses (3.2,5,6,7,10). A palavra chave é *confirmar* (3.2,13). O pensamento chave pode ser encontrado nessa explosão de alívio de Paulo: "[...] porque, agora, vivemos, se é que estais firmados no Senhor" (3.8).

O autor William Hendriksen ensina que este capítulo constitui-se uma só unidade, em que os cinco primeiros versículos, tanto quanto os restantes, se ocupam de Timóteo: o que levou Paulo a enviá-lo (v. 1-5) e o conforto produzido pelo seu relatório (v. 6-10), concluindo com um fervoroso desejo que quase chega a ser uma oração (v. 11-13).[103]

Russell Norman Champlin acrescenta que estes versículos de 1 a 5 também têm um tom apologético, como quase toda a porção anterior desta epístola. Paulo fora criticado por sua aparente falta de interesse pelos crentes tessalonicenses, por não tê-los visitado de novo. Neste capítulo, Paulo refuta seus críticos e demonstra seu amor pela igreja.

Destacamos dois pontos acerca da alma do apóstolo Paulo como pastor:

Em primeiro lugar, *o pastor é aquele que tem uma grande preocupação com o estado espiritual da igreja* (3.1a). Paulo saiu de Tessalônica às pressas por causa da implacável perseguição e agitação social provocada por judeus e gentios e foi para Beréia. Porém, seu coração de pastor ficou em Tessalônica. Ele saiu fisicamente da cidade, mas continuou velando pelas ovelhas de Cristo. Seu cuidado pastoral pelo rebanho não o deixou inativo nem acomodado. Suas emoções não o paralisaram. Ele sentiu e agiu. Ele ansiava ardentemente estar com aqueles irmãos (2.17), mas como foi impedido (2.18), ele enviou à igreja perseguida um obreiro para fortalecê-los na fé (3.2).

Em segundo lugar, *o pastor é aquele que pensa mais no bem-estar das ovelhas do que em si mesmo* (3.1b). Paulo se considerava mãe e pai da igreja de Tessalônica (2.7,11). Ele já havia demonstrado grande amor pela igreja e um profundo desejo de estar com ela (2.17-20). Agora, Paulo acrescenta que não agüenta mais ficar sem lhes enviar uma ajuda. A preocupação com o estado da igreja era semelhante a um fardo para Paulo, que ele não podia suportar mais (3.1).

Paulo não era um mercenário, mas um pastor de almas. Ele prefere o bem dos outros a seu próprio bem-estar. A palavra *sozinho* no versículo 1 significa "abandonado". Em vez de abandonar as ovelhas igual a um pastor mercenário (Jo 10.12,13), Paulo prefere sofrer a solidão e enviar ajuda à igreja de Tessalônica. Ele sempre pensou mais na igreja do que em si mesmo. Mais tarde ele escreveu aos crentes de Corinto e, disse: "Eu de boa vontade me gastarei e ainda me deixarei gastar em prol da vossa alma" (2Co 12.15). Paulo era como uma vela, ele brilhou com a mesma intensidade enquanto viveu. Além das pressões exteriores, a preocupação com todas as igrejas pesava diariamente em seu coração (2Co 11.28).

Três fatos neste capítulo ressaltam o coração de Paulo como pastor de almas:

## Paulo enviou à igreja um consolador (3.1-5)

Três verdades são aqui apresentadas:

1. O zelo de Paulo (3.1). Paulo não era apenas um evangelista, que ganha pessoas para Cristo, porém, muitas vezes, as deixa sem assistência espiritual, pois ele vai em busca de novos campos. Ele era também um pastor que velava pelas ovelhas, uma mãe que nutria e acariciava seus filhos e um pai que gostava de estar perto dos filhos para ensiná-los. Ele preferia ficar só a deixar as ovelhas sozinhas. Ele preferia ficar abandonado a abandonar as ovelhas. Ele pensava mais no bem-estar do rebanho do que no seu próprio bem-estar. Ele estava pronto não apenas a dar às pessoas o evangelho, mas também a sua própria vida (2.8).

2. O caráter de Timóteo (3.2). O apóstolo aponta três características de Timóteo, antes de enviá-lo a Tessalônica.

a. Ele era um obreiro crente (3.2). Paulo o chama de "nosso irmão". Timóteo é denominado *irmão* (1Co 1.1; Cl 1.1), ou seja, um companheiro crente, alguém que, pela graça soberana, pertence à família de Deus, em Cristo. Timóteo não era um obreiro profissional, mas um crente fiel ao Senhor Jesus. Antes de falar de seus dons e habilidades, Paulo acentua que ele é crente, membro da família de Deus. Com isto, Paulo está dizendo que não podemos compartilhar com os outros aquilo que não temos. Não podemos conduzir o povo de Deus a uma experiência profunda com Deus se nós mesmos não temos intimidade com o Senhor. A vida do ministro é a base do seu ministério.

A igreja evangélica vive hoje uma grande crise de liderança pastoral. Há pastores não convertidos no ministério, que pregam aos outros a salvação, mas nunca foram transformados pelo evangelho. Há pastores não vocacionados no ministério. Gente que entrou para o pastorado com a motivação errada, está no lugar errado e fazendo a obra de Deus de forma errada. Há pastores doentes emocionalmente no ministério. Precisavam ser cuidados, mas estão cuidando dos outros. Há pastores preguiçosos, avarentos, apáticos e até na prática de pecados escandalosos no ministério. Timóteo era crente (3.2). Ele tinha caráter provado (Fp 2.22).

b. Ele era um obreiro servo (3.2b). Timóteo tinha a mentalidade de servo. A palavra "ministro", utilizada por Paulo, vem do grego *diáconos*, que significa "servo". Timóteo sempre se colocou como um servo nas mãos de Deus para estar aonde Paulo o mandava. Paulo o enviou a Tessalônica

(3.2), a Corinto (1Co 16.10) e a Filipos (Fp 2.19-23). Timóteo não pensava em si mesmo, mas em cuidar dos interesses do povo de Deus (Fp 2.20-22). O ministério para Timóteo não era uma plataforma de prestígio pessoal, mas um instrumento para servir ao povo de Deus. Timóteo estava a serviço de Deus e dos irmãos e não a seu próprio serviço. Ele estava no ministério para dar algo e não para receber algo. Ele pastoreava a igreja para servir e não para locupletar-se.

c. Ele era um obreiro encorajador (3.2c). Paulo deixa claro o propósito de enviar Timóteo aos crentes de Tessalônica: "[...] para, em benefício da vossa fé, confirmar-vos e exortar-vos". Diante da feroz perseguição e da sinistra campanha de calúnias, do lado de fora, e também da falta de maturidade intelectual, moral e espiritual dos crentes tessalonicenses, a missão de Timóteo era perfeitamente apropriada.[104]

Alvah Rovey diz que as palavras *confirmar* e *exortar* descrevem grande parte do labor apostólico e ministerial de Paulo (At 15.32,41; 16.5; 18.23; Rm 1.11; 16.25; 1Ts 3.13; 2Ts 2.17; 3.3).[105] Timóteo era um obreiro que fortalecia e encorajava os novos crentes a ficarem firmes no meio das provas. Ele cuidava do povo em tempos difíceis. Ele era um consolador, um amigo. William Barclay corrobora esse pensamento dizendo que quando Paulo enviou Timóteo a Tessalônica não era tanto para inspecionar a igreja, mas para prestar-lhe ajuda. A atitude não era de condenação de seus erros, mas de auxílio em suas deficiências.[106] Timóteo não estava indo para Tessalônica com o dedo em riste, com a vara da disciplina na mão, mas com o cajado de pastor, com o coração aberto de um pastor que está pronto a dar sua vida pelas ovelhas.

3. As tribulações da igreja (3.3-5). O apóstolo Paulo aborda três verdades sobre as tribulações que atingem a igreja:

a. As tribulações fazem parte da agenda de Deus (3.3b). As tribulações não são acidentes, mas apontamentos de Deus em nossa vida. Temos de esperar sofrer por amor a Cristo (Fp 1.29), e não devemos estranhar a perseguição, mas considerá-la parte normal da vida crista (1Pe 4.12-16). As perseguições visam ao nosso fortalecimento na fé (Jo 16.33; Rm 5.3; 2Tm 3.12).

Paulo já havia alertado a igreja sobre a inevitabilidade das provações. Os crentes são perseguidos porque eles não são deste mundo, eles são chamados do mundo. Eles estão no mundo, mas não são do mundo. Eles não amam o mundo, não são amigos do mundo, não se conformam com o mundo, por isso o mundo os odeia (Jo 15.19). A vida dos crentes expõe e denuncia os pecados do mundo (Jo 15.18,22). Os crentes são perseguidos porque o mundo não conhece a Deus Pai nem a Cristo, nosso Salvador (Jo 16.3). Os crentes são perseguidos porque o mundo está enganado quanto a Deus e quantos aos próprios crentes (Jo 16.2,3).

b. As tribulações trazem inquietação à igreja (3.3). Quando a igreja deixa de olhar a vida na perspectiva de Deus, ela fica inquieta, perturbada e desanimada nas tribulações.

O verbo grego *sainomai* traduzido aqui como "inquietar" é raro e sua interpretação causou dificuldade aos comentaristas antigos. Era usado desde os tempos de Homero para referir-se ao abanar do rabo de um cachorro, e daí surgiu o sentido metafórico de "bajular, lisonjear, adular".[107] A idéia é que o inimigo com freqüência lisonjeia o cristão a fim de fazê-lo desviar-se. Satanás disse a Eva que, se ela comesse do fruto, seria como Deus, e ela se deixou enganar por sua lisonja. Satanás é mais perigoso quando bajula do que quando mostra sua ira.[108] Satanás é especialista em usar estratagemas para persuadir os crentes a abandonarem a sua fé em Deus nos tempos de prova (3.5-7,10). Enquanto Deus visa a nos fortalecer por meio das tribulações, Satanás tenta nos destruir através delas.

Satanás sempre vai sugerir que é impossível amar a Deus mais do que o dinheiro, a família, a saúde e os amigos. Foi essa a tática que ele usou para tentar derrubar Jó. Precisamos nos acautelar tanto do ataque de Satanás quanto de sua sedução. A blandícia do diabo é pior do que o seu rugido. William Hendriksen ensina que a arma do inimigo da fé nem sempre é só a espada. Às vezes ele surge, "com chifres como de cordeiro" (Ap 13.11), com suas palavras e lisonjas, como um cão que *abana sua cauda*.[109] O mesmo escritor ainda assevera que indubitavelmente, para Paulo o diabo era real, verdadeiramente existente, um oponente muito poderoso e terribilíssimo. Os que negam a existência real e pessoal de Satanás deveriam ser consistentemente honestos, a ponto de confessar que tampouco crêem na Bíblia![110]

Os inimigos do evangelho estavam tentando seduzir os neófitos tessalonicenses, dizendo-lhes que Paulo não se importava com eles. Que o velho apóstolo os havia abandonado e o que o melhor que eles fariam era retroceder e abraçar novamente o paganismo. Timóteo, porém, foi enviado a Tessalônica exatamente para impedir que tal bajulação em meio à angústia da perseguição tivesse êxito.[111]

O inimigo atacou a igreja de Tessalônica de várias maneiras, como podemos observar a seguir:

– Atacou a igreja espalhando mentiras e boatos acerca de Paulo (2.3-6). Os inimigos da igreja tentaram macular a imagem de Paulo, colocando-o como um aproveitador e um mercenário. Paulo se defende por saber que se os acusadores lograssem êxito quanto ao mensageiro, desacreditariam a mensagem.

– Atacou a igreja através do vergonhoso tratamento dado ao apóstolo e aos novos crentes (2.2).

– Atacou a igreja confrontando face a face os crentes e opondo-se à sua fé, ameaçando-os se eles falassem do nome de Cristo (2.16).

– Atacou a igreja por meio de agressão física (At 17.5,6).

– Atacou a igreja usando a lei e a autoridade civil contra a igreja caso ela continuasse a adorar e a falar sobre Cristo (At 17.6-9). Porém, apesar de todos esses ataques e perseguições, a igreja permaneceu firme na fé.

c. As tribulações trazem sérios riscos à causa do evangelho (3.5b). Paulo envia Timóteo para fortalecer a igreja por causa do seu temor de que "[...] o tentador vos provasse, e se tornasse inútil o nosso labor" (3.5b). O ministério é um combate contínuo e sem intermitência. Há uma interferência sem trégua das forças espirituais do mal contra a igreja e não podemos fechar os olhos a essa realidade. O tentador não tira férias, não descansa nem dorme. Ele está a todo tempo, em todo lugar, com seus agentes malignos tramando, tentando, perseguindo e colocando ciladas no caminho do povo de Deus para derrubá-lo. Muitas pessoas abandonam a fé no meio do espinheiro das provações, escandalizando-se com o evangelho. Precisamos estar atentos!

**Paulo recebeu da igreja notícias consoladoras (3.6-8)**

Destacamos três verdades consoladoras:

1. Boas notícias da relação dos crentes com Deus e com o apóstolo (3.6). O mesmo Timóteo que fora representante de Paulo perante a igreja de Tessalônica, agora é representante dessa igreja perante Paulo. Timóteo regressou de Tessalônica trazendo notícias alvissareiras acerca da fé e do amor dos crentes tessalonicenses. Aqueles irmãos estavam firmados na fé e arraigados no amor uns pelos outros no meio da mais terrível tempestade de perseguição. As provações, em vez de destruí-los, os fortaleceram; em vez de separá-los, os uniram ainda mais.

Não há maior alegria do que saber que os nossos filhos na fé andam na verdade ainda que sofrendo provações. I. Howard Marshall preceitua que essas boas notícias trouxeram consolo a Paulo, a ponto de ele expressar seus sentimentos numa explosão de alegria.[112] O coração do apóstolo está em chamas pelo Senhor e transbordando de amor pelos crentes de Tessalônica.

Os crentes de Tessalônica estavam não apenas com uma correta relação com Deus, mas também com o seu pai na fé. Eles tinham uma relação vertical e horizontal certa. A campanha difamatória dos inimigos não pôde destruir a reputação do apóstolo na igreja tessalonicense. Eles guardavam grata memória de Paulo.

O apóstolo era um homem de mente brilhante, mas de um coração sensível. Ele valorizava os sentimentos e cultivava profundos relacionamentos.

2. Boas notícias que consolam a Paulo em meio às suas lutas (3.7). Paulo estava em Corinto enfrentando grandes privações e tribulação, mas ao receber a notícia de que seus filhos na fé em Tessalônica estavam firmes na fé, ele foi

consolado. Paulo abre as cortinas da sua alma e escancara sem rodeios as suas carências emocionais. Ele não é um super-homem nem um supercrente. Ele tem sentimentos. Ele tem necessidade de consolação. Ele precisa também ser encorajado.

Os líderes também precisam ser encorajados. Eles podem sofrer todo tipo de ataque externo e todo tipo de privação, mas se forem consolados e encorajados pela igreja enfrentam com galhardia qualquer situação.

3. Boas notícias que revitalizam o coração para continuar a obra (3.8). O apóstolo ao receber as boas-novas dos crentes tessalonicenses, escreve: "[...] porque, agora, vivemos, se é que estais firmados no Senhor" (3.8). O coração de Paulo está em chamas para o Senhor e ao mesmo tempo está transbordando de terna afeição pelos crentes de Tessalônica.[113] A firmeza na fé daqueles crentes novos e perseguidos traz um novo alento para o coração do velho apóstolo. Relacionamentos contam muito. Isso era uma espécie de oxigênio que dava maior fôlego ao apóstolo para continuar seu trabalho.

O que desgasta um obreiro não são os problemas externos, mas as intrigas internas. Privação e tribulação não o desencorajam. Circunstâncias adversas não podem tirar-lhe a alegria e o entusiasmo de prosseguir. Porém, ele precisa ver a igreja caminhando firme em amor e firmada na fé.

## Paulo orou pela igreja (3.9-13)

Paulo não pode ir a Tessalônica, mas pode orar pelos tessalonicenses. A oração não está limitada ao tempo nem ao espaço. Você pode tocar o mundo através da oração. Você pode fazer mais por uma pessoa de joelhos, orando por ela, do que trabalhando para ela. William Barclay lembra que nunca saberemos de quantos pecados temos sido salvos e quantas tentações temos superado pelo fato de alguém ter orado por nós.[114]

A oração de Paulo é dirigida não apenas ao soberano e supremo Criador do universo, mas a Deus como Pai. Ele tem uma visão da majestade de Deus e também da intimidade de Deus. Ele vê Deus como transcendente e também como imanente. De igual forma, Paulo se dirige ao Senhor Jesus. Ele deseja que ambos, Deus Pai e o Senhor Jesus, trabalhem abrindo-lhe a porta para retornar aos seus queridos filhos na fé em Tessalônica.

A oração de Paulo pelos tessalonicenses tinha três características fundamentais: Era uma oração marcada por profunda gratidão (3.9); era uma oração perseverante (3.10a) e uma oração intensa (3.10b).

A oração de Paulo, outrossim, abrangia os problemas ordinários da vida diária (3.11). Ele desejava viajar e pedia a Deus para abrir o caminho (3.11), pois sabia que Satanás podia barrar esse caminho (2.18). Olhava as coisas comuns com os olhos espirituais. Você ora pelas coisas comuns da vida?

Paulo orou por três motivos específicos: uma fé madura, um amor profundo e para que eles pudessem ser santos na presença de Deus.[115]

1. Paulo orou para que eles pudessem ter uma fé madura (3.9,10). A nossa fé ainda não é perfeita e precisa de reparos continuamente. A palavra grega *katartidzo*, "reparar" é a mesma utilizada para consertar as redes ou tapar os buracos (Mc 1.19). Essa palavra era empregada para reconciliar facções políticas; um termo cirúrgico para "juntar ossos quebrados".[116] Precisamos remendar os buracos e tapar as brechas no escudo da nossa fé. Havia deficiência na fé

daqueles irmãos, por exemplo, uma compreensão equivocada acerca da doutrina da segunda vinda de Cristo. Havia membros da igreja vivendo de forma desordenada e outros que estavam desanimados (5.14). Precisamos ser trabalhados continuamente.

A fé é como um músculo do nosso corpo; só se fortalece com exercício.[117] Deus nos testa para provar a nossa fé. Uma fé que não é testada não pode ser confiável. A oração de Paulo foi atendida (2Ts 1.3).

2. Paulo orou para que eles pudessem ter um amor profundo uns pelos outros (3.12). As tribulações podem tornar as pessoas egoístas. O sofrimento pode quebrantar e também endurecer. O mesmo sol que amolece a cera, endurece o barro. Por isso, Paulo orou pela igreja para que o Senhor fizesse crescer e aumentar o amor dos crentes uns para com os outros. A oração de Paulo é que os crentes possam transbordar de amor e abundar de tal maneira que esse oceano de amor, uma vez cheio, alcance os limites de suas bordas e venha derramar de tal forma que ele alcance não só os irmãos em Cristo, mas até mesmo os de fora.[118]

A igreja é uma família onde devemos construir pontes de amizades e não muralhas de separação. A igreja é a comunidade do amor, da aceitação, do perdão, da restauração. Seremos conhecidos como discípulos de Cristo pelo amor (Jo 13.34,35). O amor é a apologética final. Uma igreja sem amor está em trevas. Aquele que diz que ama a Deus, mas não demonstra amor pelo seu irmão nunca viu a Deus. O maior de todos os mandamentos é o amor. Os dons espirituais sem amor de nada valem (1Co 13.1-3). O zelo doutrinário sem o amor não agrada a Jesus (Ap 2.4). O amor não deve ser apenas de palavras, mas de fato e de verdade, ou seja, de forma prática.

Contudo, Paulo ora a Deus para que a igreja cresça em amor também para com todos, ou seja, até para com seus perseguidores. Amar os iguais é coisa simples. O desafio é amar os inimigos, amar aqueles que nos perseguem, amar aqueles que não são dignos de amor. A Bíblia diz que devemos orar pelos nossos inimigos, abençoar os que nos perseguem e pagar o mal com o bem. O verdadeiro amor perdoa as ofensas sem registrar mágoas.

As maiores lições sobre o amor são aprendidas na escola do sofrimento. José do Egito sofreu treze anos até ser guindado ao alto posto de governador do Egito. Ele foi vítima do ódio de seus irmãos, mas jamais alimentou o desejo de vingança em seu coração. Ao contrário, ele amou, perdoou e serviu àqueles que lhe fizeram mal. Os judeus perseguiram Paulo de cidade em cidade, mas Paulo continuou amando-os a tal ponto de estar disposto a morrer por eles (Rm 9.1-3).

3. Paulo orou para que eles pudessem ser santos na presença de Deus até a volta de Jesus (3.13). Três verdades devem ser destacadas neste versículo:

- A segunda vinda de Cristo motiva os crentes a uma vida de santidade (3.13). Se nós cremos que Jesus vai voltar; se cremos que Ele vai julgar os vivos e os mortos; se cremos que vamos comparecer perante o Seu tribunal para dar contas da nossa vida, então, precisamos viver em santidade de vida. Quem aguarda a segunda vinda de Cristo purifica-se a si mesmo (1Jo 3.3). A palavra grega *hagiosyne,* traduzida como "santidade", era usada para referir-se a uma qualidade de objetos e pessoas que são separados do uso comum para o serviço de Deus. Porém, quando o conceito é utilizado para pessoas santas, o pensamento é que aqueles que estão separados para servir a Deus devem demonstrar a mesma retidão e pureza que O caracterizam.[119]

- A santidade de vida não é uma formalidade externa, mas uma vida vivida na presença de Deus (3.13). A santidade não é medida por gestos, ritos ou cerimônias externas. Ela é medida por uma vida sem culpa na presença de Deus que tudo vê, tudo sonda e tudo conhece. Os fariseus eram meticulosos em ritos externos, mas viviam na impureza. Deus procura a verdade no íntimo. Aqueles que gostam de observar os pecados dos outros, normalmente, escondem os seus próprios.
- A segunda vinda de Cristo nos mostra que o melhor ainda está por vir (3.13). O cristianismo não caminha para um ocaso, mas para um glorioso amanhecer. A História não é cíclica nem marcha célebre para um desastre, mas é conduzida por Deus para a vitória triunfante de Cristo e da Sua Igreja. Jesus vai voltar fisicamente, visivelmente, poderosamente, gloriosamente. Aqueles que morreram em Cristo e foram habitar com Ele (2Co 5.8; Fp 1.23) voltarão com Ele em glória. A vinda de Cristo será como um glorioso cortejo, onde os anjos e os santos remidos descerão com Ele entre nuvens. William Hendriksen coloca esse acontecimento, assim:

> O pensamento aqui é que quando o Senhor Jesus voltar, Deus trará com Ele aqueles que, através dos tempos viveram a vida de separação cristã do mundo e de devoção a Deus. Foram "postos à parte" por Deus para sua adoração e serviço, de modo que, pelo poder santificador do Espírito Santo, se tornaram santos "tanto em experiência quanto em posição", e pela morte entraram no reino lá de cima. Nem sequer um

deles será deixado no céu: todos aqueles que ao morrer foram para o céu – e que, portanto, estão agora com Ele no céu – deixarão seu *habitat* celestial no exato momento em que o Senhor começar Sua descida. Num piscar de olhos se reunirão aos seus corpos, os quais agora se convertem em corpos gloriosamente ressurretos, e então, imediatamente (com os filhos de Deus que ainda sobrevivem na terra, e que serão transformados) subirão para o encontro do Senhor.[120]

A condição espiritual dos crentes gera peso no seu coração a ponto de você fazer sacrifícios pessoais para ajudá-los a crescerem na fé?

Você tem orado pela igreja, para que os crentes sejam mais firmes na fé e mais arraigados em amor?

Você está vivendo em santidade? Você está preparado para a segunda vinda de Cristo? A única maneira de nos prepararmos para nos encontrarmos com Deus é vivermos diariamente com Deus.[121]

## Notas do capítulo 3

[102] WIERSBE, Warren W. *Comentário bíblico expositivo*. Vol. 6. 2006: p. 222.
[103] HENDRIKSEN, William. *1 e 2Tessalonicenses*. 1998: p. 120.
[104] HENDRIKSEN, William. *1 e 2Tessalonicenses*. 1998: p. 124.
[105] HOVEY, Alvah. *Comentário expositivo sobre el Nuevo Testamento. 1 Corintios - 2 Tesalonicenses*. Casa Bautista de Publicaciones. 1973: p. 481.
[106] BARCLAY, William. *Filipenses, Colosenses, I e II Tesalonicenses*. 1973: p. 203.
[107] MARSHALL, I. Howard. *I e II Tessalonicenses: Introdução e comentário*. 1984: p. 116.
[108] WIERSBE, Warren W. *Comentário bíblico expositivo*. Vol. 6. 2006: p. 223.
[109] HENDRIKSEN, William. *1 e 2Tessalonicenses*. 1998: p. 124.
[110] HENDRIKSEN, William. *1 e 2Tessalonicenses*. 1998: p. 124.
[111] HENDRIKSEN, William. *1 e 2Tessalonicenses*. 1998: p. 124.
[112] MARSHALL, I. Howard. *I e II Tessalonicenses: Introdução e comentário*. 1984: p. 119.
[113] HENDRIKSEN, William. *1 e 2Tessalonicenses*. 1998: p. 130.
[114] BARCLAY, William. *Filipenses, Colosenses, I y II Tesalonicenses*. 1973: p. 203.
[115] WIERSBE, Warren W. *Comentário bíblico expositivo*. Vol. 6. 2006: p. 225,226.
[116] RIENECKER, Fritz e ROGERS, Cleon. *Chave lingüística do Novo Testamento grego*. 1985: p. 441.
[117] WIERSBE, Warren W. *Comentário bíblico expositivo*. Vol. 6. 2006: p. 226.
[118] HENDRIKSEN, William. *1 e 2Tessalonicenses*. 1998: p. 135.
[119] MARSHALL, I. Howard. *I e II Tessalonicenses: Introdução e comentário*. 1984: p. 127.
[120] HENDRIKSEN, William. *1 e 2Tessalonicenses*. 1998: p. 139.
[121] BARCLAY, William. *Filipenses, Colosenses, I y II Tesalonicenses*. 1973: p. 205.

# Capítulo 4

# Uma vida que agrada a Deus
(1Ts 4.1-12)

NO TEXTO EM TELA o apóstolo Paulo vai tanger sobre dois solenes temas, a santidade do sexo e a santidade do amor fraternal. Para introduzir esse magno assunto, ele faz três importantes considerações:

Em primeiro lugar, *um clamor veemente* (4.1). O apóstolo Paulo diz: "Finalmente, irmãos, nós vos rogamos e exortamos no Senhor Jesus..." (4.1). A palavra grega *Loipon,* "finalmente", traz a idéia de que Paulo está apresentando seu último assunto.[122] Embora pareça estranho que Paulo tenha usado esse advérbio quando ainda há uma porção substancial da carta à frente, na realidade, Paulo já chegou à última seção principal da carta.

I. Howard Marshall pondera que os dois primeiros versículos se constituem em introdução à seção, mas também constam como um prefácio para a totalidade do restante da carta com seu tom predominantemente ético e exortativo.[123] Paulo coloca grande solenidade em sua linguagem. Ele pede, roga e exorta a igreja para que busque uma vida que agrade a Deus por meio da santificação.

Em segundo lugar, *um progresso evidente* (4.1b). O apóstolo Paulo acrescenta: "[...] que, como de nós recebestes, quanto à maneira por que deveis viver e agradar a Deus, e efetivamente estais fazendo, continueis progredindo cada vez mais" (4.1b). Havia progresso na vida espiritual dos crentes tessalonicenses, mas Paulo estava certo de que eles deveriam continuar progredindo de forma mais expressiva na busca de agradarem a Deus.

Concordo com Warren Wiersbe quando disse que agradar a Deus significa muito mais do que simplesmente fazer a vontade de Deus. É possível obedecer a Deus e, ainda assim, não agradá-Lo. Jonas é um exemplo disso. Ele obedeceu às ordens de Deus, mas não o fez de coração. Deus abençoou Sua Palavra, mas não pôde abençoar seu servo. Assim, Jonas assentou-se do lado de fora de Nínive, zangado com todos, inclusive com o Senhor.[124] O irmão mais velho do filho pródigo obedecia em tudo a seu pai, mas não se agradava dele, não se deleitava em sua comunhão. Vivia como um escravo na casa do pai.

Em terceiro lugar, *uma razão eloqüente* (4.2). Os crentes tessalonicenses deveriam viver do modo agradável a Deus porque eles já haviam sido instruídos na verdade. Paulo declara: "Porque estais inteirados de quantas instruções vos demos da parte do Senhor Jesus" (4.2). A palavra grega *paraggelia,* "instrução", denota uma palavra de ordem recebida de um superior, que deve ser passada a outras pessoas.[125] Warren Wiersbe na mesma linha de pensamento diz que este termo faz parte do vocabulário militar e se refere a ordens dadas por oficiais superiores. Somos soldados do exército de Deus e devemos obedecer às Suas ordens.[126] O pecado de um crente é pior do que o pecado de um incrédulo, pois seu pecado é consciente. Seu pecado é uma rebelião deliberada contra um mandamento recebido.

Com respeito à vida que agrada a Deus, dois pontos fundamentais são tratados por Paulo: a santificação do corpo e o amor fraternal. Vamos considerá-los.

**A santificação do corpo (4.3-8)**

Antes de entrar propriamente dito na exposição deste texto, precisamos entender o contexto em que ele foi inserido. A vida sexual no mundo greco-romano nos tempos do Novo Testamento era um caos, sem lei. Naquele tempo a vergonha parecia ter sumido da terra.

É quase impossível mencionar um grande personagem grego que não tivesse a sua *hetaira,* ou seja, a sua amante. Alexandre Magno tinha sua Taís, que depois da morte de Alexandre aos 33 anos, casou-se com Ptolomeu do Egito e tornou-se mãe de reis. Aristóteles tinha a sua Herpília; Platão, sua Arquenessa; Péricles, sua Aspásia, que escrevia seus discursos; Sófocles, sua Arquipe. A atitude grega dificilmente pode ser melhor demonstrada do que pelo fato de que, quando Sólon foi o primeiro a legalizar a prostituição e a abrir os prostíbulos do Estado, os lucros destes eram usados para erigir templos aos deuses.

Quando a frouxidão moral grega invadiu Roma, tornou-se tristemente grosseira. Os laços matrimoniais foram menosprezados. O divórcio desastradamente fácil. A moral entrou em colapso. A ética era flácida e permissiva. Em Roma Sêneca escreveu: "As mulheres casam para se divorciar e se divorciam para casar".[127] A moralidade estava morta. O mesmo Sêneca ainda escreveu: "A inocência não é rara, é inexistente".

A chamada classe alta da sociedade romana havia se tornado grandemente promíscua. Juvenal chegou a dizer que até mesmo Messalina, a imperatriz, esposa de Cláudio, saía às escondidas do palácio real à noite, a fim de servir num prostíbulo público. Ela era a última a sair de lá e "voltava ao travesseiro imperial com todos os odores dos seus próprios pecados".

Pior ainda era a imoralidade desnaturada que grassava nas altas cortes. Calígula vivia em incesto habitual com sua irmã Drusila. A concupiscência de Nero não poupou sequer sua própria mãe Agripina, a quem depois assassinou. A homossexualidade em Roma era algo escandaloso. O historiador Gibbon afirma que dos quinze imperadores, Cláudio, o traído pela mulher, foi o único imperador que não foi homossexual.

Na Grécia a imoralidade estava tão acentuada que Demóstenes, o maior orador grego, disse: "Os gregos têm prostitutas para o prazer; concubinas para as necessidades diárias do corpo e esposas para procriar filhos".[128]

Paulo coloca-se contra essa imoralidade sexual ao escrever esta carta para a igreja de Tessalônica, uma importante cidade grega. Ele enfrenta, porém, três dificuldades nesse seu propósito:

1. Não havia forte frente de opinião contra a imoralidade. Para o mundo greco-romano, a imoralidade nas questões sexuais era um costume normal da sociedade. A sociedade era permissiva e promíscua. Em 1 Tessalonicenses

4.1-8 Paulo descreve a imoralidade na sociedade grega e em Romanos 1.18-28 Paulo descreve a imoralidade na sociedade romana.

2. O prevalecimento das idéias gnósticas. Para os gnósticos, o espírito era totalmente bom e a matéria essencialmente má. Se o corpo é matéria e, portanto, mau, então, não importa o que você faz com ele, diziam os gnósticos. Pode-se, então, saciar seus desejos e apetites sem qualquer constrangimento. O gnosticismo estava, assim, na defesa da imoralidade.

3. A prostituição era vinculada com a religião. Havia muitos templos com sacerdotisas que eram chamadas de "prostitutas sagradas". O templo de Afrodite em Corinto, cidade grega, tinha milhares de prostitutas. Existia na Grécia o deus *Eros*, o deus do sexo. Em Atenas, até hoje, há estatuetas escandalosas com cenas eróticas, sendo vendidas nas lojas alimentando essa crendice pagã. Tessalônica como cidade grega estava encharcada com toda essa avalanche de imoralidade. A igreja tinha saído do meio dessa sociedade promíscua e vivia ainda nesse contexto. Por isso, Paulo escreveu este capítulo para orientar a igreja acerca da santidade do sexo.

Os tempos mudaram e hoje se fala em uma *nova moralidade*. Ela não é nova: é a velha moralidade de Roma e da Grécia. Atualmente, escasseiam os absolutos morais. Vivemos numa sociedade que idolatra o corpo, numa cultura sexólatra e pansexual. Este é o século do prazer barato e o reino do hedonismo. O sexo santo, puro, bom e deleitoso criado por Deus está sendo banalizado, comercializado e vilipendiado.

Nossa sociedade perdeu o pudor, o respeito e a vergonha. O nudismo tornou-se apenas uma questão de arte. A indústria pornográfica é uma das mais rentáveis do mundo. A televisão brasileira é uma das mais nocivas para a formação do caráter em todo o planeta. O adultério é estimulado. O homossexualismo é aplaudido. Faz-se apologia da traição, da infidelidade conjugal, da defraudação, do homossexualismo, do vício, e do desbarrancamento da virtude. Os marcos que sinalizam os limites e os absolutos foram arrancados. Os fundamentos da nossa sociedade estão abalados (Sl 11.3). Vivemos a relativização dos valores. Estamos nos tornando iguais ou piores que Sodoma e Gomorra.

Neste contexto, é imperativo estudarmos este texto de Paulo. Dois pontos são destacados pelo apóstolo: a ordenança divina para uma vida de pureza e as razões para vivermos uma vida pura.

a. A ordenança divina para uma vida de pureza [santificação do corpo] (4.3-6). A vontade de Deus para a igreja é a santificação. Essa santidade tem um aspecto negativo: a abstenção da impureza sexual e um aspecto positivo: a prática do amor. Pode-se argumentar que são dois lados da mesma moeda, porque "O amor não pratica o mal contra o próximo" (Rm 13.10).[129] Como podemos alcançar a pureza moral? Se a santificação é a vontade de Deus, como podemos viver dentro dessa vontade? Quais são, então, as marcas de um verdadeiro cristão?

*O cristão é aquele que se abstém da impureza sexual* (4.3b). A palavra grega *pornéia,* traduzida por "prostituição", significa pecado sexual, relações sexuais ilícitas, atividade sexual ilícita.[130] Howard Marshall ensina que o termo *pornéia* refere-se a todas as relações sexuais fora daquelas que ocorrem dentro do relacionamento do casamento.[131] Paulo tem em vista tanto o sexo antes do casamento quanto o sexo fora do casamento, tanto a fornicação quanto o adultério. A palavra *pornéia* engloba também o homossexualismo bem como toda as outras formas aviltantes da prática sexual. De igual modo *pornéia* inclui a impureza da mente, os desejos ilícitos, a pornografia.

Warren Wiersbe enfatiza que as instruções de Deus com referência ao sexo não têm como objetivo privar as pessoas da alegria, mas sim protegê-las de modo a que não percam a alegria. "Não adulterarás" é um mandamento que levanta um muro ao redor do casamento, não para torná-lo uma prisão, mas sim um jardim belo e seguro.[132] A palavra grega *apechomai*, "abster-se", parece ter sido comum no ensinamento ético cristão primitivo (At 15.20,29; 1Ts 5.22; 1Pe 2.11). Subentende a total abstinência do mal, e vale a pena comentar que onde as coisas são más a atitude cristã é necessariamente de abstinência de todos os tipos de imoralidade sexual.[133]

*O cristão é aquele que sabe controlar seu próprio corpo* (4.4). A palavra grega *skeuos*, traduzida por "corpo", tem um duplo significado. Ela pode significar corpo ou vaso. Essa palavra foi usada literalmente para descrever utensílios e vasos domésticos (Mc 11.16; Lc 8.16; At 2.27; 18.12). Pode, então, ser empregada metaforicamente para pessoas que são instrumentos para o propósito dalguém (At 9.15). Pode-se pensar no corpo humano como sendo um artigo de cerâmica, um vasilhame frágil (2Co 4.7); esta metáfora está presente em 1Pedro 3.7, onde a esposa é "o vaso mais frágil".[134] Assim, saber possuir o próprio corpo pode ter dois significados básicos:
- Primeiro, controlar o corpo. O cristão é alguém que sabe controlar o seu corpo. A Bíblia diz que o nosso corpo é um vaso (2Co 4.7; 2Tm 2.20,21). O nosso corpo é o *naós*, o santo dos santos, o santuário do

Espírito Santo de Deus. O corpo do cristão foi criado por Deus e remido por Ele; é habitado por Deus, deve ser cheio do Espírito de Deus e glorificar a Deus. O apóstolo Paulo preconizou: "Porque fostes comprados por preço. Agora, pois, glorificai a Deus no vosso corpo" (1Co 6.20). O mesmo apóstolo ainda escreve: "[...] o corpo não é para a impureza, mas, para o Senhor, e o Senhor, para o corpo" (1Co 6.13). Na carta aos Romanos, Paulo exorta: "Não reine, portanto, o pecado em vosso corpo mortal, de maneira que obedeçais às suas paixões" (Rm 6.12) e ainda acrescenta: "Assim como oferecestes os vossos membros para a escravidão da impureza e da maldade para a maldade, assim oferecei, agora, os vossos membros para servirem a justiça, para a santificação" (Rm 6.19).

O corpo deve ser usado em santificação e honra. O corpo é para o Senhor e não para a imoralidade. É para ser palco de santidade e não de obscenidade; é para ser honrado e não mercadejado ou desonrado pela sensualidade inflamada.

- Segundo, obter a esposa. A palavra "vaso", também, era usada para descrever a mulher (1Pe 3.7). Assim, Paulo estaria orientando os homens acerca da maneira santa de buscar um casamento, tendo um namoro e um noivado puros. O sexo no casamento é uma bênção, mas antes e fora dele uma maldição (4.3-8; Pv 6.32).

*O cristão é aquele que resiste aos desejos lascivos* (4.5). O apóstolo Paulo escreve: "[...] não com o desejo de lascívia, como os gentios que não conhecem a Deus" (4.5). A palavra grega *epithimia,* traduzida por "lascívia", significa desejo, concupiscência. Paulo não proíbe o desejo, como um impulso natural, e, sim, o desejo pecaminoso, isto é, uma condição em que o desejo tenha se convertido no princípio dominante da vida da pessoa, ou numa paixão incontrolável.[135] O desejo impuro escraviza as pessoas. Há pessoas prisioneiras da pornografia. Há pessoas cativas de pensamentos e desejos impuros. Esse caminho da lascívia é o caminho do mundo e não o caminho de Deus. É o caminho daqueles que não conhecem a Deus. Às vezes, essas pessoas conhecem os mandamentos de Deus e, mesmo assim, elas rejeitam Deus e Seus mandamentos. O chamado cristão, porém, é para agradar-se de Deus e obedecer a Ele (Sl 37.4).

Os gentios usam seus corpos com lascívia, desejo impuro, paixão inflamada porque eles não conhecem a Deus. Eles são impuros, fornicadores, adúlteros e promíscuos porque são vazios e não têm um relacionamento com Deus. Para aqueles que não conhecem a Deus o sexo pré-marital não é pecaminoso, mas uma "prova de amor". A perda da virgindade antes do casamento é vista como um tabu retrógrado e a infidelidade conjugal uma prática normal. O apóstolo Paulo afirma que esse é o *modus vivendi* daquelas pessoas que não conhecem a Deus. Como cristãos não podemos imitar essas pessoas nem suas práticas.

*O cristão é aquele que não ofende nem defrauda a seu irmão* (4.6a). O apóstolo exorta: "[...] e que, nesta matéria, ninguém ofenda nem defraude a seu irmão" (4.6a). A palavra grega *pleonektein,* "defraudar", significa despertar um sentimento ou desejo no outro que não pode ser licitamente satisfeito. É ir além, ultrapassar os limites. Significa tirar o melhor proveito que puder da situação. É tentar ganhar egoisticamente mais, a qualquer custo e por todos os meios, independentemente dos outros e dos seus direitos.¹³⁶ Defraudar é tirar vantagem de outra pessoa mediante comportamento sensual, libidinoso, provocativo.

William Hendriksen afirma que a maldade de defraudar um irmão (pela prática da imoralidade com sua esposa ou sua filha), em vez de tomar honestamente uma esposa para si, é aqui condenada.¹³⁷

Vivemos na cultura da sedução. O cinema, a televisão, as revistas e a moda promovem e fazem apologia da sensualidade provocativa. As roupas sumárias, os flertes, a onda do "ficar", onde um rapaz ou uma moça "fica" com duas ou três pessoas diferentes numa mesma festa é uma afronta à santidade do corpo e uma desobediência à exortação de Paulo.

b. As razões para vivermos uma vida pura [buscarmos a santificação do corpo] (4.6b-8). Por que devemos buscar a santidade do corpo e a pureza do sexo?

*Porque o Senhor contra todas estas coisas é o vingador* (4.6b). Paulo é expressamente claro: "[...] porque o Senhor, contra todas estas cousas, como antes vos avisamos e testificamos claramente, é o vingador" (4.6b). A palavra grega *ekdikos*, "vingador" era usada nos papiros para o ofício de um representante legal, ou seja, a pessoa que executa a sentença.¹³⁸ Howard Marshall acredita que o pensamento é mais que Deus toma o partido das vítimas do crime e da iniqüidade e obtém justiça para elas, e que age como o sustentador da ordem moral contra aqueles que pensam que podem quebrá-la impunemente.¹³⁹

William Hendriksen corrobora dizendo que esses pecados são comumente praticados em secreto: o pai ou o esposo não sabe o que está acontecendo, e seus direitos estão sendo negados; ele está sendo defraudado. Deus, porém, sabe, e revelará ser o vingador. Ainda que o irmão, que assim foi enganado e defraudado jamais descubra a iniquidade de que foi vítima, não obstante existe um vingador, que é Deus.[140] Essa verdade precisa ser enfatizada, especialmente na promíscua sociedade contemporânea, onde a imoralidade não tem sido não apenas aceita, mas também é estimulada.

Nossa geração tem brincado muito com Deus. Tem pensado que Deus é bonachão. Eles esquecem deliberadamente que Deus é santo, justo e revela Sua ira contra toda impiedade e perversão dos homens (Rm 1.18). Os que vivem à cata de prazeres sensuais, defraudando os outros e desonrando seus corpos, vão esbarrar no dia do juízo diante do Deus irado, diante do vingador!

Contudo, Deus vinga o homem já, entregando-o aos verdugos de uma consciência pesada, de uma vida cheia de culpa e desassossego. Davi, depois que cometeu adultério com Bate-Seba, sentiu a mão de Deus pesar sobre ele. O seu vigor tornou-se sequidão de estio a ponto dos seus ossos secarem e seus gemidos o atormentarem durante as noites. O apóstolo Paulo diz: "Não vos enganeis: de Deus não se zomba; pois aquilo que o homem semear, isso também ceifará" (Gl 6.7). Deus é um fogo consumidor e horrível coisa é cair em Suas mãos!

Aquele que permanece no pecado da impureza e não o confessa nem o deixa, não encontrará misericórdia (Pv 28.13), pois a Palavra diz: "Não vos enganeis: nem impuros, nem idólatras, nem adúlteros, nem efeminados, nem sodomitas [...] herdarão o reino de Deus" (1Co 6.9,10). O apóstolo Paulo é claro: "Sabei, pois, isto: nenhum incontinente, ou impuro, ou avarento, que é idólatra, tem herança no reino de Cristo e de Deus. Ninguém vos engane com palavras vãs; porque, por essas cousas, vem a ira de Deus sobre os filhos de desobediência" (Ef 5.5,6). Ainda o apóstolo João escreve: "Quanto, porém, aos impuros [...] a parte que lhes cabe será no lago que arde com fogo e enxofre, a saber, a segunda morte" (Ap 21.8).

*Porque Deus não nos chamou para a impureza e sim para a santificação* (4.7). Não podemos inverter o propósito de Deus em nossa vida. Fomos eleitos em Cristo desde a fundação do mundo para sermos santos e irrepreensíveis (Ef 1.4). Deus nos escolheu desde o princípio pela santificação do Espírito e fé na verdade (2Ts 2.13). Nós fomos salvos do pecado e não no pecado; fomos salvos da impureza para a santidade. Nós somos cartas vivas de Cristo, o sal da terra, a luz do mundo, o perfume de Jesus. Aquele que anda na prática do pecado nunca viu a Deus nem é nascido de Deus. Aquele que vive em pecado ainda está nas trevas.

*Porque quem despreza a santificação do corpo despreza o próprio Deus* (4.8a). Se Deus é quem nos chamou de modo que possamos ser santificados segue-se que considerar de somenos valor aquilo que foi dito não é desrespeitar ao homem, mas, sim, ao próprio Deus.[141] Quem pratica a impureza rechaça Deus da sua vida. Não se trata apenas da rejeição de um código de ética, de preceitos da igreja e ou regulamentos morais da família. Quem é prisioneiro da impureza, da pornografia, no sexo ilícito se insurge contra o próprio Deus, o verdadeiro autor das instruções que expressam Seu propósito de santidade para o Seu povo. A situação daqueles que praticam esses pecados não é: "Como eu vou ficar agora diante dos meus irmãos, da minha família, da minha igreja? Como eu vou me justificar diante dos amigos?" Aqueles que andam na impureza estão desprezando a Deus e terão de dar contas a Ele. Infeliz é o homem que rejeita Deus em sua vida!

*Porque quem pratica a impureza menospreza o recurso que Deus oferece para uma vida santa* (4.8b). O apóstolo Paulo conclui: "[...] que também vos dá o seu Espírito Santo" (4.8b). O Espírito Santo nos foi dado como santificador. Diz a Escritura: "[...] andai no Espírito e jamais satisfareis à concupiscência da carne" (Gl 5.16). Andar em impureza é entristecer o Espírito (Ef 4.30), é apagar o Espírito (1Ts 5.19), é resistir o Espírito (At 7.51), é ultrajar o Espírito. Deus não apenas nos chama para a santidade, mas Ele também nos dá poder para viver uma vida santa.

**O amor fraternal (4.9-12)**

A transição da *santidade* para o *amor fraternal* é natural, ensina Warren Wiersbe.[142] Assim como o amor de Deus é santo, o nosso amor por Deus e o nosso amor de uns pelos outros devem também ser motivados por um viver santo. Quanto mais nós vivemos com Deus, tanto mais vamos amar uns aos outros. Se um cristão realmente ama a seu irmão, ele não vai pecar contra ele (4.6).

Deus Pai nos ensinou a amar quando Ele nos deu Seu Filho para morrer por nós (Jo 3.16). Deus Filho nos ensinou a amar quando nos deu um novo mandamento, dizendo que devemos amar como Ele nos amou (Jo 13.34,35). Deus Espírito Santo nos ensinou a amar quando Ele derramou o amor de Deus em nossos corações (Rm 5.5).

Paulo destaca quatro grandes verdades acerca do amor fraternal:

1. O amor fraternal é um dever (4.9). A igreja já havia sido instruída que o amor é uma das marcas da vida cristã (1.3). Porém, a palavra que Paulo usa aqui só aparece neste

texto. Paulo emprega a palavra grega *philadelphia,* o amor que existe entre irmãos de sangue. Há quatro palavras distintas para amor na língua grega: a) *Eros,* refere-se ao amor físico e dá origem ao termo "erótico". O amor *eros* não é necessariamente pecaminoso, mas no tempo de Paulo, a ênfase era sensual. Esse termo não é utilizado em parte alguma do Novo Testamento. b) *Storge,* refere-se ao amor de família, o amor dos pais pelos filhos. Esse termo também não aparece no Novo Testamento. c) *Philia,* é o amor da profunda afeição, manifesto em uma amizade ou no casamento. A palavra usada por Paulo no texto em tela, *philadelphia,* significa amor entre irmãos de sangue. Devemos amar os nossos irmãos da fé como se fossem nossos irmãos de sangue. Você não faz nada para magoar seu irmão de sangue. Você respeita a mulher do seu irmão de sangue. d) *Ágape,* é o amor que Deus demonstra para conosco. Não é amor baseado apenas em sentimentos, mas sim expresso pela vontade. O amor ágape trata os outros da maneira como Deus os trataria, a despeito dos sentimentos ou das preferências pessoais.[143]

2. O amor fraternal deve crescer (4.10). A igreja de Tessalônica demonstrava em sua vida a prática do amor (1.3; 4.10), porém, Paulo diz à igreja que ainda havia o desafio de ampliar a intensidade e a extensão desse amor. O amor fraternal é para ser exercido sem fronteiras, a todos, aos de perto e aos de longe. O amor fraternal pode crescer sempre. Paulo orou pedindo: "[...] o Senhor vos faça crescer e aumentar no amor uns para com os outros e para com todos" (3.12); e Deus atendeu o seu pedido (2Ts 1.3).

3. O amor fraternal é responsável (4.11). Agora, a ênfase não é tanto o amor entre os irmãos, mas o testemunho para com os de fora. O desafio agora não é apenas andar

em amor, mas andar em honestidade. O cristão não pode ter uma vida desorganizada, enrolada e confusa. Ele precisa viver tranqüilamente, cuidar dos seus próprios negócios e trabalhar para não viver à custa dos outros. *Viver tranqüilamente* aqui é o antônimo de "ser um abelhudo" (2Ts 3.11). Alguns crentes tessalonicenses em nome de uma profunda espiritualidade estavam capitulando ao pecado da preguiça. Paulo os corrige dizendo que a iminência da *parousia*, ou seja, da segunda vinda de Cristo, não é uma desculpa para a preguiça, nem para ser uma importunação e um fardo para outras pessoas.[144] Quando estamos envolvidos no nosso trabalho, não temos tempo para nos envolvermos nos negócios alheios. A palavra grega usada por Paulo *ergazesthai* é muito sugestiva. Embora o grego considere o trabalho manual como o trabalho de escravos, os judeus não tinham essa atitude. A ênfase aqui, porém, não é sobre o trabalho manual em oposição a outros tipos de trabalho, mas sim sobre o trabalho em oposição à vagabundagem.[145]

Aqueles que não cuidam de seus próprios negócios acabam se envolvendo na vida dos outros e causando sérios problemas.

4. O amor fraternal é irrepreensível (4.12). O cristão não apenas tem o compromisso de amar os irmãos, mas, também, dar um bom testemunho aos de fora da igreja. William Barclay enfatiza que o importante não são as palavras, mas as obras; não a oratória, mas a vida. O mundo que nos observa não entra na igreja para ouvir um sermão, mas nos vê diariamente fora da igreja. Nossa vida deve ser o sermão que "ganha os homens para Cristo".[146]

Os cristãos precisam ter uma vida financeira controlada para não dar um mau testemunho aos de fora (4.11,12). Infelizmente, algumas pessoas não entenderam a doutrina da segunda vinda de Cristo e abandonaram seu trabalho com o propósito de ficar esperando a volta de Cristo. Não tardou que essas pessoas precisassem ser assistidas financeiramente por outros crentes. Isso significou que eles não pagaram suas próprias contas, e isso gerou um mal-estar na igreja e um péssimo testemunho entre os incrédulos.

A Bíblia nos ensina a vivermos com prudência com os que são de fora (Cl 4.5). O cristão deve trabalhar por vários motivos: a) O trabalho é bênção e não maldição; b) O trabalho engrandece o caráter e cria divisas; c) O trabalho provê para nós e nossa família; d) O trabalho nos capacita a ajudar os outros.

De outro lado, devemos ter cuidado com a onda de consumismo. Uma pessoa é consumista quando ela compra o que não precisa, com o dinheiro que não tem, para impressionar as pessoas que não conhece. Há pessoas que são ortodoxas na doutrina, mas não pagam suas contas.

## Notas do capítulo 4

[122] RIENECKER, Fritz e ROGERS, Cleon. *Chave lingüística do Novo Testamento grego.* 1985: p. 442.
[123] MARSHALL, I. Howard. *I e II Tessalonicenses: Introdução e comentário.* 1984: p. 129.
[124] WIERSBE, Warren W. *Comentário bíblico expositivo.* Vol. 6. 2006: p. 227.
[125] RIENECKER, Fritz e ROGERS, Cleon. *Chave lingüística do Novo Testamento grego.* 1985: p. 442.
[126] WIERSBE, Warren W. *Comentário bíblico expositivo.* Vol. 6. 2006: p. 228.
[127] BARCLAY, William. *Filipenses, Colosenses, I y II Tesalonicenses.* 1973: p. 206.
[128] BARCLAY, William. *Filipenses, Colosenses, I y II Tesalonicenses.* 1973: p. 206.
[129] MARSHALL, I. Howard. *I e II Tessalonicenses: Introdução e comentário.* 1984: p. 133.
[130] RIENECKER, Fritz e ROGERS, Cleon. *Chave lingüística do Novo Testamento grego.* 1985: p. 442.
[131] MARSHALL, I. Howard. *I e II Tessalonicenses: Introdução e comentário.* 1984: p. 133.
[132] WIERSBE, Warren W. *Comentário bíblico expositivo.* Vol. 6. 2006: p. 228.
[133] MARSHALL, I. Howard. *I e II Tessalonicenses: Introdução e comentário.* 1984: p. 133.
[134] MARSHALL, I. Howard. *I e II Tessalonicenses: Introdução e comentário.* 1984: p. 134.
[135] RIENECKER, Fritz e ROGERS, Cleon. *Chave lingüística do Novo Testamento grego.* 1985: p. 442.
[136] RIENECKER, Fritz e ROGERS, Cleon. *Chave lingüística do Novo Testamento grego.* 1985: p. 442.
[137] HENDRIKSEN, William. *1 e 2Tessalonicenses.* 1998: p. 151.
[138] RIENECKER, Fritz e ROGERS, Cleon. *Chave lingüística do Novo Testamento grego.* 1985: p. 443.
[139] MARSHALL, I. Howard. *I e II Tessalonicenses: Introdução e comentário.* 1984: p. 139.
[140] HENDRIKSEN, William. *1 e 2Tessalonicenses.* 1998: p. 149,151.
[141] MARSHALL, I. Howard. *I e II Tessalonicenses: Introdução e comentário.* 1984: p. 140.

[142] WIERSBE, Warren W. *Comentário bíblico expositivo.* Vol. 6. 2006: p. 229.
[143] WIERSBE, Warren W. *Comentário bíblico expositivo.* Vol. 6. 2006: p. 229.
[144] MARSHALL, I. Howard. *I e II Tessalonicenses: Introdução e comentário.* 1984: p. 144.
[145] RIENECKER, Fritz e ROGERS, Cleon. *Chave lingüística do Novo Testamento grego.* 1985: p. 443.
[146] BARCLAY, William. *Filipenses, Colosenses, I y II Tesalonicenses.* 1973: p. 209.

**Capítulo 5**

# Os fundamentos da esperança cristã
(1Ts 4.13-18)

O APÓSTOLO PAULO ABRE AS cortinas do futuro, acende a luz no palco da História e nos mostra que o melhor para o povo de Deus está por vir. O futuro não vem envolto em trevas. Ao contrário, ele traz em sua bagagem a garantia de que a morte não tem a última palavra. Não caminhamos para uma noite trevosa, mas para um amanhecer glorioso. Não estamos fazendo uma viagem rumo ao abismo, mas rumo à glória. Não avançamos para um destino desconhecido, mas para um lugar certo e glorioso que nos foi preparado.

A História não é cíclica como ensinavam os gregos nem caminha para o desastre como pregam os existencialistas.

A História é linear e teleológica, ou seja, ela caminha para uma consumação final, onde se verá a vitória triunfal de Cristo e da Sua Igreja. Na Sua segunda vinda, Cristo colocará todos os Seus inimigos debaixo dos Seus pés e triunfará sobre todos eles (1Co 15.25).

Consideremos três pontos:

1. A desesperança daqueles que não conhecem a Deus (4.13). O mundo pagão era completamente desprovido de esperança. O futuro para eles era sombrio e ameaçador. Frente à morte, o mundo pagão reagia com profunda tristeza. A tristeza do pagão é incurável, contínua, e sem intermitência. Seu desespero não tem pausa. O verbo grego *lupesthe*, "entristecer-se", no tempo presente, significa uma tristeza contínua.[147] Uma inscrição típica encontrada em um túmulo demonstra esse fato: "Eu não existia. Vim a existir. Não existo. Não me importa".[148]

O mundo greco-romano dos dias de Paulo era um mundo sem esperança (Ef 2.12). No entendimento deles não havia nenhum futuro para o corpo, pois este não passava de uma prisão da alma. Os epicureus não acreditavam na eternidade. Para eles a morte era o ponto final da existência. Os estóicos diziam que enquanto estamos vivos a morte não existe para nós, e quando ela aparecer, nós já não existimos.[149] Os pagãos reagiam com desespero diante da morte. William Barclay registra o que alguns pensadores disseram.[150] Esquilo escreveu: "Uma vez que o homem morre não há ressurreição". Teócrito disse: "Há esperança para aqueles que estão vivos, mas os que morrem estão sem esperança". Cátulo afirmou: "Quando nossa breve luz se extingue há uma noite perpétua em que deveremos dormir".

Os crentes de Tessalônica, egressos dessa realidade, e ainda sendo brutalmente perseguidos, estavam se entristecendo, porque julgavam que seus entes queridos, os crentes que dormiam em Cristo haviam perecido. Esta carta foi escrita para abrir-lhes os olhos da alma para a bendita verdade divina acerca da esperança cristã. William Hendriksen afirma com resoluta certeza: "De fato, à parte do cristianismo não existia nenhuma base sólida de esperança em conexão com a vida por vir".[151]

2. A tristeza dos que vivem sem esperança (4.13). A tristeza é filha da desesperança. O mundo sem Deus é um mundo triste. A morte para aqueles que não conhecem a Deus é um fim trágico. Na verdade, não há esperança fora da fé bíblica e evangélica. Só lhes resta uma profunda tristeza quando olham pelo túnel do tempo para verem o palco do futuro.

Howard Marshall diz que a igreja de Tessalônica enfrentava dois graves problemas que tiravam sua alegria:

O primeiro dizia respeito aos membros da igreja que tinham morrido antes da segunda vinda de Cristo. A morte deles significava que estariam excluídos dos acontecimentos gloriosos associados com a *parousia* (4.13-18)?

O segundo dizia respeito ao cronograma da segunda vinda. Por trás dele havia o temor de que a *parousia* pudesse pegar os vivos desprevenidos e, portanto, não participariam da salvação (5.1-11).[152]

3. A revelação de Deus que dá esperança (4.13,15). As religiões têm especulado sobre o destino da alma após a morte. Os filósofos têm discutido sobre a imortalidade. Os espíritas falam na comunicação com os mortos. Os católicos romanos pregam sobre o purgatório, um lugar de tormento e autopurificação. Há aqueles que negam a doutrina da segunda vinda de Cristo (2Pe 3.4).

Agora, Paulo resolve este problema, dizendo que não precisamos especular, pois temos uma revelação específica e clara de Deus acerca do nosso destino após a morte (4.15; 2Tm 1.10).

A Bíblia tem uma clara revelação acerca da morte e da ressurreição (1Co 15.51-54; Jo 5.24-29; 11.21-27), bem como a respeito da segunda vinda de Cristo (4.13-18). A autoridade da Palavra de Deus dá-nos a segurança e o conforto que precisamos, afirma Warren Wiersbe.[153]

Quatro verdades essenciais da fé cristã são tratadas pelo apóstolo Paulo no texto em estudo que servem de fundamento da nossa esperança:

## A segunda vinda de Cristo (4.14,15)

A segunda vinda de Cristo é a grande ênfase desta carta.

William Barclay ensina que a palavra grega *parousia* era uma palavra técnica para descrever a vinda do rei. No grego clássico significa apenas presença ou vinda de uma pessoa. Nos papiros e no grego helenista, *parousia* é a palavra técnica que se usava com respeito à vinda de um imperador, de um rei, de um governador, e, em geral, de uma pessoa importante à cidade, à província. Tal visita requeria uma série de preparativos. Finalmente, *parousia* expressava a visita de um deus. Foi precisamente essa palavra que Paulo usou para descrever a vinda de Jesus Cristo.[154]

Paulo abordou a doutrina da segunda vinda de Cristo em quatro perspectivas diferentes: em relação à salvação (1.9,10), serviço (2.19,20), estabilidade (3.11-13) e consolo (4.18).

Russell Norman Champlin lembra que em relação aos crentes a segunda vinda de Cristo, *a parousia*, se reveste dos seguintes elementos:

> Os crentes devem amar a vinda do Senhor (2Tm 4.8); devem esperar por Ele (Fp 3.20; Tt 2.13; devem aguardar a Cristo (1Co 1.7; 1Ts

1.10); devemos apressar a vinda de Cristo (2Pe 3.12); devemos orar para seu desenlace (Ap 22.20); devemos estar preparados para esse dia (Mt 24.44); devemos vigiar a respeito (Mt 24.42).[155]

O texto em apreço trata da segunda vinda de Cristo em conexão com a situação dos crentes que morreram. Paulo nos dá aqui quatro informações preciosas:

1. Não é a alma que dorme na hora da morte, mas o corpo. A doutrina da aniquilação do ímpio e do sono da alma está em desacordo com o ensino das Escrituras.[156] O homem rico que banqueteava com seus amigos, com vestes engalanadas, ao morrer, não foi aniquilado nem sua alma ficou dormindo. Ele foi para o inferno, onde enfrentou um terrível e intérmino sofrimento (Lc 16.19-31). Ao ladrão arrependido na cruz Jesus disse: "Em verdade te digo que hoje mesmo estarás comigo no paraíso" (Lc 23.43). O paraíso não é a sepultura. Jesus entregou Seu espírito ao Pai. A alma daquele ladrão arrependido não ficou em estado de inconsciência, mas foi imediatamente para o céu, para o paraíso, enquanto seu corpo desceu à sepultura. William Hendriksen, nessa mesma linha de pensamento, acentua que esse dormir não indica um estado intermediário de repouso inconsciente (sono da alma). Ainda que a alma esteja dormindo para o mundo que deixou (Jó 7.9,10; Is 63.16; Ec 9.6), contudo, ela está desperta com respeito ao seu próprio mundo (Lc 16.19-31; 23.43; 2Co 5.8; Fp 1.21-23; Ap 7.15-17; 20.4).[157]

Howard Marshall afirma que a palavra "dormir" era comum no mundo antigo como um eufemismo para a morte, e é encontrada tanto no Antigo quanto no Novo Testamento (Gn 47.30; Dt 31.16; 1Rs 22.40; Jo 11.11-13; At 7.60; 13.36; 1Co 7.39; 11.30).[158]

A Bíblia é clara em afirmar que a morte para o cristão é deixar o corpo e habitar com o Senhor (2Co 5.8). Morrer é partir para estar com Cristo (Fp 1.23).

Na hora da morte, o corpo feito do pó, volta ao pó, mas o espírito volta para Deus (Ec 12.7). A figura do sono, portanto, é usada em relação ao corpo e não em relação ao espírito.

A figura do sono enseja-nos três verdades: Primeira, o sono é símbolo de descanso. A Bíblia diz que aqueles que morrem no Senhor são bem-aventurados, porque descansam das suas fadigas (Ap 14.13). Segunda, o sono pressupõe renovação. O corpo da ressurreição será um corpo incorruptível, imortal, poderoso, glorioso, e celestial; semelhante ao corpo da glória de Cristo. Terceira, o sono implica expectativa de acordar. O mesmo corpo que desceu à tumba sairá dela ao ressoar da trombeta de Deus.

2. Os mortos em Cristo estão na glória com Ele (4.14). Um indivíduo abordou um pastor cuja esposa havia morrido: "Eu soube que você perdeu a sua esposa. Eu sinto muito". O pastor respondeu: "Não, eu não a perdi. Você não perde uma coisa ou pessoa quando você sabe onde ela está. Eu sei onde ela está. Ela está com Jesus no céu".[159]

As almas dos remidos estão reinando com Cristo no céu (Ap 20.1-4). Os remidos não poderiam vir com Cristo se já não estivessem com Ele. As almas no céu clamam (Ap 7.15-17), descansam das fadigas (Ap 14.13), vêem a face de Cristo (Ap 22.4), trabalham (Ap 22.5), e reinam (Ap 20.1-4).

Citando H. Bavinck, William Hendriksen enfatiza que o estado dos bem-aventurados no céu, por mais glorioso que seja, tem um caráter provisório, e isto por diversas razões: 1) Eles estão no céu agora, limitados a esse céu, sem que possuam ainda a terra, a qual, com o céu, lhes foi prometida como herança; 2) Ademais, vivem despojados do corpo; 3) A parte nunca está completa sem o todo. Somente em relação com a comunhão com todos os santos pode-se conhecer a plenitude do amor de Cristo (Ef 3.18).[160] Na segunda vinda o estado intermediário cederá espaço à gloriosa realidade da eternidade: "[...] e, assim, estaremos para sempre com o Senhor" (4.17).

3. Os mortos em Cristo virão com Cristo em glória (4.14). Cristo virá do céu num grande cortejo. Ele será acompanhado de Seus anjos e remidos. Nenhum deles ficará no céu nessa gloriosa vinda ao som de trombeta. Ele virá com os Seus santos e para os Seus santos. Entre nuvens eles descerão com o Rei dos reis para o maior evento da História, quando os túmulos serão abertos e quando os vivos serão transformados.

William Hendriksen coloca esse glorioso fato assim:

> O mesmo Deus que ressuscitou a Jesus dentre os mortos também ressuscitará dentre os mortos os que pertencem a Jesus. Ele os compelirá a virem com Jesus, do céu, ou seja: Ele trará do céu suas almas, de modo que possam reunir-se rapidamente (num piscar de olhos) com seus corpos, e assim partem para encontrar o Senhor nos ares, a fim de permanecerem com Ele para sempre.[161]

4. Os mortos em Cristo não terão nenhuma desvantagem em relação aos vivos (4.15). Aqueles que morrem em Cristo não estão de forma alguma em desvantagem em relação aos que estiverem vivos na segunda vinda. E isso por duas razões:

*Porque quando o salvo morre sua alma entra imediatamente no gozo do Senhor.* As almas dos filhos de Deus vão diretamente para o céu depois da morte (Sl 73.24,25). A Bíblia diz que o espírito dos salvos na hora da morte é imediatamente aperfeiçoado para entrar na glória (Hb 12.23). O apóstolo

Paulo diz que partir para estar com Cristo é incomparavelmente melhor (Fp 1.23). Por isso, a morte para o crente é lucro (Fp 1.21), é preciosa aos olhos de Deus (Sl 116.15) e é uma profunda felicidade (Ap 14.13). Estêvão, na hora da morte, disse: "Senhor Jesus, recebe o meu espírito!" (At 7.59).

*Porque quando Jesus voltar os mortos em Cristo ressuscitarão antes dos vivos serem transformados* (4.15). Mesmo que esse fato seja tão repentino quanto um abrir e fechar de olhos (1Co 15.51,52), os corpos dos remidos, que estavam dormindo se levantarão da terra antes dos vivos serem transformados e arrebatados (4.15; 1Co 15.51,52). A ressurreição precederá ao arrebatamento.

Quando o apóstolo Paulo diz que os mortos em Cristo ressuscitarão primeiro, não é em relação aos outros mortos, mas em relação aos que estiverem vivos. Paulo não está ensinando duas ressurreições. O texto em apreço é uma instrução apostólica acerca da esperança cristã. Ele está trazendo uma palavra de consolo para os crentes em relação ao estado dos que morrem em Cristo (4.18). Fica evidente, pois, que ambos os grupos, os mortos e os sobreviventes são crentes. Paulo não está traçando contraste entre crentes e descrentes, dizendo que os crentes ressuscitam primeiro, e os descrentes mil anos depois. Ambos os grupos: mortos ressurretos e vivos transformados sobem para encontrar o Senhor nos ares.

### A ressurreição dos mortos (4.15,16)

Destacamos alguns pontos no trato dessa matéria:

1. A doutrina da ressurreição era rejeitada pelos gregos. Quando Paulo pregou a doutrina da ressurreição aos filósofos atenienses, quase todos zombaram dele (At 17.32). Os gregos eram como os saduceus que rejeitavam a doutrina da ressurreição (At 23.6-8). A grande esperança dos gregos

era justamente livrar-se do corpo.[162] Tessalônica era uma cidade grega e os gregos não acreditavam na ressurreição do corpo. Os gregos achavam que o corpo era essencialmente mau. O corpo era considerado pelos gregos como um claustro, ou a prisão da alma. A destruição do corpo e não sua ressurreição era desejada pelos gregos.

2. A ressurreição de Cristo é a garantia da nossa ressurreição (4.14). Alguns crentes de Tessalônica estavam tendo essa confusão de crer na ressurreição de Cristo sem crer ao mesmo tempo na ressurreição dos salvos (1Co 15.12,13). Paulo, então, mostra a eles que não podemos crer numa cousa sem crer na outra. Não podemos crer na ressurreição de Cristo sem crer na ressurreição dos salvos, visto que a ressurreição de Cristo é o penhor e a garantia da nossa ressurreição.

O apóstolo Paulo, tratando da mesma matéria em sua primeira carta aos Coríntios, escreve, mostrando a impossibilidade de crer na ressurreição de Cristo sem crer na ressurreição dos salvos:

> Ora, se é corrente pregar-se que Cristo ressuscitou dentre os mortos, como, pois, afirmam alguns dentre vós que não há ressurreição de mortos? E, se não há ressurreição de mortos, então, Cristo não ressuscitou. E, se Cristo não ressuscitou, é vã a nossa pregação, e vã, a vossa fé; e somos tidos por falsas testemunhas de Deus, porque temos asseverado contra Deus que ele ressuscitou a Cristo, ao qual ele não ressuscitou, se é certo que os mortos não ressuscitam. Porque, se os mortos não ressuscitam, também Cristo não ressuscitou. E, se Cristo não ressuscitou, é vã a vossa fé, e ainda permaneceis nos vossos pecados. E ainda mais: os que dormiram em Cristo pereceram. Se a nossa esperança em Cristo se limita apenas a esta vida, somos os mais infelizes de todos os homens. Mas, de fato, Cristo ressuscitou dentre os mortos, sendo ele as primícias dos que dormem.[163]

Na ressurreição teremos ao mesmo tempo continuidade e descontinuidade. O mesmo corpo que descerá ao túmulo se levantará dele. Porém, esse corpo, mesmo mantendo sua identidade inalienável, não ressuscitará com as mesmas marcas de fraqueza e corruptibilidade. O corpo é uma espécie de semente. No sepultamento lançamos na terra uma semente e dela brotará uma linda flor. O corpo da ressurreição será um corpo novo, imortal, incorruptível, poderoso, glorioso, espiritual, e celestial (1Co 15.35-49).

3. A ressurreição dos mortos se dará na segunda vinda de Cristo (4.16). A segunda vinda de Cristo será pessoal, visível, audível, e gloriosa. Três fatos vão ocorrer, quando da segunda vinda de Cristo, em relação à ressurreição dos mortos:

a. O Senhor virá mediante a Sua palavra de ordem (4.16). Essa é uma voz de autoridade. Jesus Cristo dará uma palavra de ordem, como fez do lado de fora do túmulo de Lázaro (Jo 11.43). O evangelista João registra: "[...] os que se acham nos túmulos ouvirão a sua voz e sairão" (Jo 5.28). O soberano Senhor do universo erguerá Sua voz e todos os mortos a ouvirão e sairão dos seus túmulos, uns para a ressurreição da vida e outros para a ressurreição do juízo (Jo 5.28,29).

A palavra grega *keleusma*, traduzida por "palavra de ordem", significa comando, sonido. Essa palavra cujo significado traz a idéia de uma ordem gritada para os mortos levantarem de seus túmulos só aparece aqui em todo o Novo Testamento.[164] A palavra era usada de vários modos, por exemplo, o grito dado pelo mestre do navio para seus remadores, ou por um oficial para seus soldados, ou por um caçador para seus cães, ou por um cocheiro para cavalos. Quando usada para pessoal militar ou naval, era um grito de batalha. Na maior parte das vezes denota um grito alto e autoritário, com freqüência dado num momento de grande empolgação.[165] Desta forma, Cristo retorna como um grande Vencedor. Sua palavra de ordem é como a ordem que um oficial dá em voz alta à sua tropa. É uma ordem expressa para que os mortos ressuscitem!

b. O Senhor virá mediante a voz do arcanjo (4.16). O arcanjo era um termo para anjos de grau mais elevado. Essa palavra "arcanjo" só aparece aqui e em Judas 9. Nesta última passagem, o arcanjo é Miguel (Ap 22.7; Dn 10.13,21; 12.1). Ele é representado como líder dos anjos santos e defensor do povo de Deus.[166] Para os crentes essa voz trará plenitude de alegria. Ela soará para proclamar a libertação do povo de Deus. Cristo virá para a libertação da Igreja e o julgamento do mundo.

c. O Senhor virá mediante o ressoar da trombeta de Deus (4.16). A trombeta era usada pelos judeus em suas festas, e também era associada com as teofanias e com o Fim, e é, também ligada com a ressurreição dos mortos.[167] No império romano, as trombetas eram utilizadas para anunciar a chegada de uma pessoa importante.[168] William Hendriksen tece o seguinte comentário acerca do sonido da trombeta:

> O sonido da trombeta aqui é muito apropriado. Na antiga dispensação, quando Deus "descia", por assim dizer, para encontrar-se com Seu povo, este encontro era anunciado por meio do sonido de uma trombeta (Êx 19.16,17). Por isso, quando as bodas do Cordeiro com sua noiva atingir seu apogeu (Ap 19.7), este clangor de trombeta será muitíssimo apropriado. Da mesma forma, a trombeta era usada como sinal da vinda do Senhor para resgatar Seu povo da opressão hostil (Sf 1.6; Zc 9.14). Foi o sinal de seu livramento. Assim também este último sonido de trombeta será o sinal para os mortos ressurgirem, para os vivos se

transformarem e para que todos os eleitos de Deus sejam reunidos dos quatro ventos (Mt 24.31) para o encontro do Senhor.[169]

Essa descida do Rei dos reis, acompanhada dos anjos e remidos, entre nuvens será visível, audível, e majestosa. Ele virá para juízo e também para livramento (Mt 25.31-46).

### O arrebatamento (4.17)

A palavra "arrebatamento" foi utilizada em vários contextos do Novo Testamento. O uso variado da palavra lança luz sobre esse auspicioso evento por vir.

Não estaremos usando aqui o termo "arrebatamento" no mesmo sentido empregado pelos dispensacionalistas. Os dispensacionalistas pregam um arrebatamento invisível e inaudível.[170] Não subscrevemos a doutrina do arrebatamento secreto e distinto da segunda vinda visível. Não entendemos que o ensino dispensacionalista, que afirma que a segunda vinda de Cristo se dará em dois turnos, um secreto e outro visível, tenha amparo nas Escrituras. Cremos, sim, que a segunda vinda será única, visível, audível, e gloriosa.

Como essa palavra "arrebatamento" foi usada no Novo Testamento? Warren Wiersbe sugere quatro formas diferentes dessa palavra que lançam luz sobre o arrebatamento dos salvos.[171]

1. Foi empregada no sentido de arrebatar rapidamente (At 8.39). Filipe foi arrebatado rapidamente da presença do eunuco. Quando Cristo vier no ar, entre nuvens, os mortos em Cristo ressuscitarão com corpos gloriosos e nós os que estivermos vivos seremos transformados e arrebatados rapidamente como num piscar de olhos (1Co 15.52).

2. Foi usada no sentido de arrebatar pela força (Jo 6.15). A multidão estava com o intuito de arrebatar Jesus para

fazê-lo rei. Cristo nos arrebatará e nos tomará da terra. Nada nos deterá aqui. Nada nos prenderá a este mundo. Não hesitaremos como a mulher de Ló. Seremos arrancados como por uma força magnética. Seremos atraídos a Jesus pelo Seu poder para encontrá-Lo nos ares.

3. Foi utilizada no sentido de arrebatar para um novo lugar (2Co 12.3). Paulo foi arrebatado da terra para o céu. Jesus foi preparar-nos um lugar (Jo 14.3). Quando Ele vier, Ele vai nos levar para a Casa do Pai. Nós somos peregrinos aqui neste mundo. Nossa casa permanente não é aqui. Nossa Pátria não está aqui. A nossa Pátria está no céu (Fp 3.20,21).

4. Foi usada no sentido de arrebatar do perigo (At 23.10). Paulo foi arrebatado da turba de judeus que queriam matá-lo. O mundo está maduro para o juízo. O mundo sofrerá o ardor da ira de Deus no Seu justo julgamento. Porém, nós não entraremos em juízo condenatório. Não estamos destinados para a ira, mas para vivermos em deliciosa comunhão com o Senhor por toda a eternidade.

### A eternidade com o Senhor (4.17,18)

Os salvos serão arrebatados para viverem eternamente com o Senhor. A eternidade é mais do que uma duração infinita de tempo; é uma qualidade superlativa de vida. A eternidade é uma reunião, em que os salvos estarão para sempre com o Senhor. A essência da vida eterna é comunhão com Deus e com Seu Filho (Jo 17.3).

A palavra grega *apanthesis,* "reunião", "encontro" tem um sentido técnico no mundo helenístico em relação à visita de dignitários às cidades, onde o visitante seria formalmente encontrado pelos cidadãos, ou uma delegação deles, que teriam saído da cidade para esse propósito e, então, seria cerimonialmente escoltado de volta para a cidade.[172] O sentido original era de "encontrar-se com alguém da realeza ou com alguma pessoa importante".[173]

Como será essa reunião com o Senhor?

1. Esse encontro será a festa apoteótica das bodas do Cordeiro. A eternidade não será uma sucessão de tempo interminável, monótona, e entediante. A eternidade será uma festa que nunca vai acabar. A Bíblia diz que esse será como um dia eterno da celebração das bodas do Cordeiro. As bodas tinham quatro estágios:

a. O compromisso do noivado. Cristo se comprometeu em amor com Sua noiva. Ela está se preparando e se ataviando para o Seu noivo.

b. A preparação para o casamento. Nesse tempo o noivo paga o dote pela noiva e a noiva se atavia para o noivo. Cristo morreu pela Sua Igreja e a Igreja está se preparando para receber Jesus.

c. O cortejo do noivo à casa da noiva com seus amigos. O noivo é acompanhado dos amigos com música até à casa da noiva. Cristo virá com os anjos e os remidos ao som da trombeta de Deus para buscar a Sua noiva, a Igreja. Depois Ele volta com Sua noiva gloriosa para a Casa do Pai.

d. A festa das bodas, então, tem início. Este será o encontro íntimo, eterno, e bendito entre o Cordeiro e Sua noiva, quando pela eternidade sem fim desfrutaremos Sua presença e nos deleitaremos em Sua comunhão. Não apenas teremos total e íntima comunhão com Cristo, mas também vamos nos relacionar intimamente uns com os outros. Seremos uma só família, um só rebanho (1Co 13.12).

2. Este encontro será glorioso. A vinda de Cristo será um dia de trevas para os inimigos do Cordeiro e um dia de

glória para a Igreja. A Babilônia, o falso profeta, o anticristo, o dragão, a morte e aqueles que não tiveram seus nomes inscritos no livro da vida serão lançados no lago de fogo. Porém, os remidos, com corpos luminosos como o sol em seu fulgor, subirão para reinarem com Cristo por toda a eternidade. Entrarão, enfim, naquele lar onde não haverá mais dor, nem lágrimas, nem luto. Então, se cumprirá o desejo de Cristo, que nós possamos um dia ver Sua glória e compartilhar dela (Jo 17.22-24). O apóstolo Paulo diz que essa esperança bendita nos ajuda a enfrentar os sofrimentos do tempo presente (Rm 8.18), pois em comparação com a glória por vir a ser revelada em nós, as nossas tribulações, aqui, são leves e momentâneas (2Co 4.17).

3. Este encontro será eterno (4.17). O apóstolo Paulo acentua: "[...] e, assim, estaremos para sempre com o Senhor" (4.17). O propósito da redenção não é apenas nos livrar da condenação, mas também nos conduzir à comunhão com Cristo para sempre e sempre. Nesse encontro não haverá despedidas nem adeus. Antonio Hoekema, refutando a tese dispensacionalista de um arrebatamento pré-tribulacional, escreve:

> A idéia que depois de encontrar com o Senhor nos ares estaremos com Ele durante sete anos no céu, e mais tarde durante mil anos sobre a terra, é pura especulação e nada mais. A unidade eterna com Cristo na glória é o claro ensino desta passagem, e não um arrebatamento pré-tribulacional.[174]

Howard Marshall corretamente afirma que a idéia da existência interminável não é especialmente atraente ou consoladora se não é melhor do que a vida atual. Para o cristão, no entanto, a vida aqui e agora é a vida em comunhão com Jesus, e a esperança futura é de uma vida ainda mais estreitamente ligada a Ele.[175]

Duas conclusões devem ser extraídas dessa magnífica passagem:

a. A segunda vinda de Cristo marcará o fim das oportunidades. Desde o momento em que o Senhor surge nas nuvens do céu e se põe a descer, não haverá mais oportunidade para conversão. Ele não vem para salvar, mas para julgar, frisa William Hendriksen.[176] Ele não vem mais como o servo sofrer, mas como o rei vitorioso. Ele não vem mais com as marcas dos cravos em Suas mãos, mas com o cetro de ferro para subjugar as nações. Quando a trombeta soar não haverá mais tempo para se preparar. A porta estará fechada e, então, será tarde demais para se buscar a salvação. Agora é o tempo aceitável. Hoje é o dia da salvação.

b. A segunda vinda de Cristo deve encher o coração dos salvos de consolo. O propósito de Paulo ao ensinar sobre a segunda vinda de Cristo e a ressurreição não é alimentar a curiosidade frívola, mas consolar os crentes. Uma vez esclarecido que os que adormecem em Cristo não sofrem nenhuma desvantagem em relação aos sobreviventes, surge, pois, uma sólida base para o encorajamento, lembra William Hendriksen.[177] Aqueles que crêem em Cristo e foram perdoados; cujos nomes estão escritos no livro da vida, não têm motivo para se entristecerem. Eles deviam animar uns aos outros uma vez que caminhamos não para uma tumba fria, mas para o alvorecer da ressurreição. Nosso destino é a glória. Nossa Pátria é o céu. Temos uma viva e bendita esperança. Temos uma imarcescível coroa para receber. Temos uma mui linda herança. Temos pela frente o paraíso, a casa do Pai, o lar celeste, a nova Jerusalém, a bem-aventurança eterna!

## Notas do capítulo 5

[147] RIENECKER, Fritz e ROGERS, Cleon. *Chave lingüística do Novo Testamento grego.* 1985: p. 444.
[148] WIERSBE, Warren W. *Comentário bíblico expositivo.* Vol. 6. 2006: p. 232.
[149] HENDRIKSEN, William. *1 e 2Tessalonicenses.* 1998: p. 164.
[150] BARCLAY, William. *Filipenses, Colosenses, I y II Tesalonicenses.* 1973: p. 210.
[151] HENDRIKSEN, William. *1 e 2Tessalonicenses.* 1998: p. 164.
[152] MARSHALL, I. Howard. *I e II Tessalonicenses: Introdução e comentário.* 1984: p. 145.
[153] WIERSBE, Warren W. *Comentário bíblico expositivo.* Vol. 6. 2006: p. 232.
[154] BARCLAY, William. *Palabras griegas del Nuevo Testamento.* Casa Bautista de Publicaciones. 1977: p. 169,170.
[155] CHAMPLIN, Russell Norman. *O Novo Testamento interpretado versículo por versículo.* Vol. 5. n.d: p. 203.
[156] Sl 16.11; Sl 17.15; Mt 8.11; Lc 16.16-31; Jo 17.24; 2Co 5.8; Fp 1.23; Hb 12.23; Ap 5.9; Ap 6.10; Ap 7.15; Ap 14.3; Ap 20.4.
[157] HENDRIKSEN, William. *1 e 2Tessalonicenses.* 1998: p. 162.
[158] MARSHALL, I. Howard. *I e II Tessalonicenses: Introdução e comentário.* 1984: p. 146.
[159] WIERSBE, Warren W. *Comentário bíblico expositivo.* Vol. 6. 2006: p. 233.
[160] HENDRIKSEN, William. *A vida futura.* Casa Editora Presbiteriana. São Paulo, SP. 1988: p. 56.
[161] HENDRIKSEN, William. *1 e 2Tessalonicenses.* 1998: p. 168.
[162] WIERSBE, Warren W. *Comentário bíblico expositivo.* Vol. 6. 2006: p. 233.
[163] 1Coríntios 15.12-20.
[164] HENDRIKSEN, William. *1 e 2Tessalonicenses.* 1998: p. 171.
[165] RIENECKER, Fritz e ROGERS, Cleon. *Chave lingüística do Novo Testamento grego.* 1985: p. 444.
[166] HENDRIKSEN, William. *1 e 2Tessalonicenses.* 1998: p. 172.
[167] RIENECKER, Fritz e ROGERS, Cleon. *Chave lingüística do Novo Testamento grego.* 1985: p. 444.
[168] WIERSBE, Warren W. *Comentário bíblico expositivo.* Vol. 6. 2006: p. 234.
[169] HENDRIKSEN, William. *1 e 2Tessalonicenses.* 1998: p. 173.
[170] HENDRIKSEN, William. *A vida futura.* 1988: p. 200.

[171] WIERSBE, Warren W. *Comentário bíblico expositivo.* Vol. 6. 2006: p. 234,235.

[172] RIENECKER, Fritz e ROGERS, Cleon. *Chave lingüística do Novo Testamento grego.* 1985: p. 444.

[173] WIERSBE, Warren W. *Comentário bíblico expositivo.* Vol. 6. 2006: p. 235.

[174] HOEKEMA, Antonio A. *La Bíblia e el futuro.* Subcomision Literatura Cristiana. Grand Rapids, Michigan. 1984: p. 193.

[175] MARSHALL, I. Howard. *I e II Tessalonicenses: Introdução e comentário.* 1984: p. 151.

[176] HENDRIKSEN, William. *1 e 2Tessalonicenses.* 1998: p. 176.

[177] HENDRIKSEN, William. *1 e 2Tessalonicenses.* 1998: p. 177.

**Capítulo 6**

# Que atitude a Igreja deve ter em relação à segunda vinda de Cristo?
(1Ts 5.1-11)

A DOUTRINA DAS ÚLTIMAS COISAS, especialmente a segunda vinda de Cristo, tem despertado grande interesse nos círculos evangélicos nos últimos dois séculos. Inúmeras obras foram escritas com as perspectivas as mais diferentes. Essa revitalização da doutrina trouxe fortalecimento na fé e profundo engajamento missionário por parte de alguns e, infelizmente, sérios desvios por parte de outros.

Atualmente, vemos dois extremos com respeito ao debate desse assunto:

1. Aqueles que se entregam à curiosidade frívola. Não poucos estudiosos da Bíblia, no afã de mergulhar nas profecias bíblicas, chegam às raias do entusiasmo

inconseqüente, marcando data para a segunda vinda de Cristo e descrevendo minúcias desse auspicioso acontecimento escatológico.

A grande tese de Paulo é que a Igreja não deve se preocupar com as minúcias da data da segunda vinda de Cristo, mas, sim, estar preparada para a Sua volta. Vigilância e trabalho e não especulação é o que a Bíblia ensina quanto a esse momentoso tema.

A razão por que não foi necessário Paulo escrever para os tessalonicenses acerca dos tempos e épocas da segunda vinda de Cristo (5.1) não era que ele julgasse essas informações irrelevantes ou desnecessárias, mas porque ele já havia ensinado a eles que este tema estava além da esfera de seu ensino. O papel da Igreja não é saber tempos ou épocas que o Pai reservou para a Sua exclusiva autoridade, mas estar engajada na obra e preparada para a *parousia*.[178] O dia da segunda vinda de Cristo não foi revelado aos anjos nem a nós. É da autoridade exclusiva do Pai (Mt 24.36; At 1.7).

2. Aqueles que se entregam ao ceticismo incrédulo. Se por um lado existem aqueles que deixam de fazer a obra por causa da expectativa iminente da segunda vinda há também, de outro lado, aqueles que vivem despreocupadamente sem dar crédito a ela. Estes são zombadores e escarnecedores, que andam dizendo: "Onde está a promessa da sua vinda? Porque, desde que os pais dormiram, todas as cousas permanecem como desde o princípio da criação" (2Pe 3.4).

No meio desses dois extremos, como a Igreja de Cristo deve se portar? Que atitude deve ter em relação à segunda vinda de Cristo? George Barlow defende a idéia que a Igreja deve aguardar a segunda vinda de Cristo com uma atitude de expectativa, vigilância, coragem militante e confiança.[179] Consideremos esses pontos:

## A Igreja deve aguardar a segunda vinda de Cristo com grande expectativa (5.1-3)

Em 1Tessalonicenses 4.13-18 o apóstolo Paulo respondeu à pergunta sobre a situação das pessoas que morrem em Cristo, dizendo que elas não estão em nenhuma desvantagem com respeito aos vivos. Agora, Paulo responde a mais uma pergunta da igreja sobre o tempo e a forma da segunda vinda de Cristo.

1. A segunda vinda de Cristo virá em tempo desconhecido pela igreja (5.1). Paulo já havia ensinado a igreja sobre o *crónos* e o *kairós* de Deus em relação à segunda vinda (5.1). O mesmo fizera Jesus com os apóstolos (At 6.6,7), dizendo-lhes que não lhes competia saber tempos ou épocas. O dia da segunda vinda de Cristo só é conhecido por Deus (Mt 24.36). Qualquer especulação sobre essa data é perda de tempo e desobediência ao ensino bíblico.

A palavra *crónos* significa o tempo cronológico, os acontecimentos que se seguem um ao outro, enquanto *kairós* é um tempo particular e a natureza dos eventos que acontecem. Fritz Rienecker ensina que a palavra *crónos* denota simplesmente duração de tempo ou o tempo visto em sua extensão, enquanto *kairós* refere-se ao tempo apropriado, o momento certo.[180]

A igreja de Tessalônica queria saber detalhes sobre o tempo da segunda vinda de Cristo e Paulo não tem nada a acrescentar além do que já havia ensinado oralmente aos crentes quando de sua permanência entre eles. Eles queriam saber com precisão o tempo da segunda vinda. Mas Paulo não é um escatologista que se detém em datas. Ele não vive com uma calculadora na mão fazendo contas para marcar datas nem com um mapa profético fazendo conexões entre estes e aqueles acontecimentos históricos. Ele já ensinara à igreja que a ninguém foi dado conhecer com precisão o tempo exato da segunda vinda de Cristo. Somente Deus conhece esse dia!

Muitas igrejas, infelizmente, estão tão preocupadas com os sinais da segunda vinda que esquecem de fazer a obra de Deus.

2. A segunda vinda de Cristo será repentina (5.2). O apóstolo Paulo afirma: "[...] pois vós mesmos estais inteirados com precisão de que o Dia do Senhor vem como ladrão de noite" (5.2). A palavra traduzida "com precisão" significa "acuradamente" ou "detalhadamente". Howard Marshall diz que muitas pessoas hoje desejam ardentemente informações detalhadas acerca do tempo e do curso dos últimos eventos, e há escritores que estão dispostos a responder às perguntas escatológicas com pormenores minuciosos e com não pouca imaginação. Alguns defensores do ensino "dispensacional" a respeito da segunda vinda de Jesus são especialmente propensos a oferecer cronogramas exaustivos e esmerados dos eventos futuros. Paulo não é assim. Quando lhe pediram informações detalhadas, nada mais tinha para dizer senão aquilo que diz nesta passagem. Os ensinadores cristãos atualmente fariam bem se seguissem seu exemplo e assim evitassem ir além daquilo que está escrito (1Co 4.6).[181]

A segunda vinda de Cristo virá como um ladrão de noite. Essa mesma comparação é usada pelo Senhor Jesus Cristo (Mt 24.43; Lc 12.39), bem como pelo apóstolo Pedro (2Pe 3.10). Jesus virá de forma repentina e rápida. Essa vinda é descrita como um relâmpago que sai do oriente e vai até o ocidente. Ela será tão repentina quanto um abrir e fechar de olhos. Quando se ouvir o grito do noivo, não haverá mais tempo para se preparar. Quando o noivo chegar, a porta será fechada e ninguém mais poderá entrar.

3. A segunda vinda de Cristo será inesperada (5.2). O ladrão vem quando não é esperado e pega a família de surpresa. Ele sempre chega de surpresa. Ele não envia um telegrama anunciando o dia e a hora da sua chegada.

William Hendriksen observa que um ladrão nunca envia antecipadamente uma carta de advertência sobre o seu plano, dizendo: "Amanhã a tal hora farei uma visita. Esconda em lugar seguro os seus valores". Não! Ele vem repentina e inesperadamente. Por isso, é perda de tempo indagar quanto tempo falta ou quando será.[182] Quando Cristo voltar, as pessoas não vão estar apercebidas. Elas estarão despreparadas e desprevenidas. Jesus alerta para esse fato solene em uma parábola:

> Sabei, porém, isto: se o pai de família soubesse a que hora havia de vir o ladrão, [vigiaria e] não deixaria arrombar a sua casa. Ficai também vós apercebidos, porque, à hora em que não cuidais, o Filho do homem virá (Lc 12.39,40).

Howard Marshall lembra que o ponto de comparação é duplo. Primeiro, expressa a imprevisão do evento. O ladrão vem quando não é esperado, e pega a família de surpresa. Segundo, provavelmente devamos também ver um elemento de uma má acolhida. Paulo está olhando a questão do ponto de vista daqueles que descobrirão que o Dia é de julgamento, e, portanto, diz que será tão repentino e mal recebido quanto a visita de um arrombador.[183]

O mundo será pego de surpresa, porque se recusa a ouvir a Palavra de Deus e a atentar para a Sua advertência.

Deus avisou que o dilúvio estava a caminho e, no entanto, somente oito pessoas creram e foram salvas (1Pe 3.20). Ló avisou sua família de que a cidade seria destruída, mas ninguém lhe deu ouvidos (Gn 19.12-14). Jesus avisou Sua geração de que Jerusalém seria destruída (Lc 21.20-24), mas muitos pereceram durante o cerco.[184]

O Senhor Jesus disse que na Sua segunda vinda o mundo vai estar desatento, pois será como nos dias do dilúvio. As pessoas estarão cuidando dos seus interesses: casando-se, e dando-se em casamento, comendo, bebendo e festejando. Estas coisas não são más em si mesmas. Quando, porém, a alma é totalmente absorvida por elas, como um fim em si mesma, de tal forma que as necessidades espirituais são negligenciadas, então elas se transformam em maldição e não mais são uma bênção.[185]

4. A segunda vinda de Cristo virá num tempo de aparente paz e segurança no mundo (5.3). O apóstolo Paulo alerta: "Quando andarem dizendo: Paz e segurança, eis que lhes sobrevirá repentina destruição, como vêm as dores de parto à que está para dar à luz; e de nenhum modo escaparão" (5.3). A fraseologia "paz e segurança" ecoa nas passagens do Antigo Testamento (Jr 6.14; 8.11; Ez 13.10; Mq 3.5), que falam da atividade de falsos profetas que asseguravam o povo que nada tinha a temer a despeito da podridão que caracterizava a sociedade.

Aqui em Paulo, no entanto, o pensamento pode dizer respeito mais ao mundo pecaminoso que se consola pensando que nada lhe pode acontecer (2Pe 3.3,4). Será exatamente quando isto estiver sendo dito que lhes sobrevirá repentina destruição, afirma Howard Marshall.[186] Russel Norman Champlin diz que a palavra grega *eirene*, "paz", alude ao contentamento no íntimo, à tranqüilidade, supostamente baseada na paz estabelecida entre os homens. Já o termo *asphaleia*, "segurança", indica uma segurança sem obstáculos e perturbações.[187]

Quando Cristo voltar, o mundo vai estar pensando que a sociedade estará marcada por paz e segurança. Os homens ímpios terão um grande senso de segurança. "Os incrédulos do mundo são como bêbados vivendo em um paraíso falso e desfrutando uma segurança falsa."[188] Os governos mundiais e órgãos internacionais estarão erguendo monumentos a essa aparente paz e segurança. Os homens pensarão firmemente que estarão no controle da situação. Por isso, podemos afirmar que a segunda vinda não será num tempo óbvio para as nações. Os homens estarão no apogeu da sua autoconfiança. Eles estarão se sentindo na fortaleza da paz interna e da segurança externa. Quando, porém, eles pensarem que estarão mais seguros, então lhes sobrevirá o maior perigo.

Jesus descreveu essa aparente segurança dos homens quando da Sua segunda vinda assim:

> Assim como foi nos dias de Noé, será também nos dias do Filho do homem: comiam, bebiam, casavam e davam-se em casamento, até o dia em que Noé entrou na arca, e veio o dilúvio e destruiu a todos. O mesmo aconteceu nos dias de Ló: comiam, bebiam, compravam, vendiam, plantavam e edificavam; mas, no dia em que Ló saiu de Sodoma, choveu do céu fogo e enxofre e destruiu todos. Assim será no dia em que o Filho do homem se manifestar (Lc 17.26-30).

**5. A segunda vinda de Cristo será inescapável (5.3).** A repentinidade da *parousia* é enfatizada pela segunda comparação de Paulo: "[...] como vêm as dores de parto à que está para dar à luz; e de nenhum modo escaparão (5.3). Esta é uma metáfora bíblica comum (Sl 48.6; Is 13.8;

21.17,18; Jr 6.24; 22.23; Mq 4.9) usada para expressar a pura dor e agonia de experiências desagradáveis. Essa figura enfatiza a inevitabilidade e a inescapabilidade deste julgamento. Para os que estiverem despreparados, o Dia do Senhor terá o caráter de um julgamento certeiro.[189] Russel Normal Champlin enfatiza que o mundo inteiro agonizará como uma mulher que está em trabalho de parto. A mulher grávida traz, em seu próprio ventre, a causa de sua dor eventual. E o mundo, em sua iniqüidade, tem o mesmo procedimento, pois nutre aquilo que lhe fará passar por grande dor.[190]

A segunda vinda de Cristo não apenas virá de forma repentina e inesperada, mas também será inescapável. Julgamento e destruição serão absolutamente certos para os ímpios. Todos os seres humanos que não colocaram sua confiança em Cristo irão enfrentar esse terrível Dia do Senhor. Será como a dor de parto que vem inescapavelmente para a mulher grávida. Assim, Paulo está mostrando com essa metáfora a inevitabilidade e a inescapabilidade do julgamento.

Ninguém poderá se esconder dessa manifestação gloriosa nem evitar esse glorioso e terrível dia. Jamais os ímpios escaparão às dores desse mais estupendo evento da História. A desesperada, porém, frustrada tentativa do ímpio para escapar desse dia é vividamente retratada em Apocalipse 6.12-17. Ninguém, porém, escapa!

6. A segunda vinda de Cristo será um dia de glória e terror ao mesmo tempo (5.3). Se a segunda vinda de Cristo será o dia da recompensa dos salvos (4.13-18), ao mesmo tempo, será um dia de terror e catastrófica destruição para os ímpios (5.3). Exatamente no mesmo instante que o mundo estará se ufanando de sua paz e segurança, uma

repentina destruição virá sobre ele. Essa destruição será totalmente inesperada. O profeta Isaías descreve esse terrível dia assim:

> Uivai, pois está perto o Dia do Senhor; vem de Todo-poderoso como assolação. Pelo que todos os braços se tornarão frouxos, e o coração de todos os homens se derreterá. Assombrar-se-ão, e apoderar-se-ão deles dores e ais, e terão contorções como a mulher parturiente; olharão atônitos uns para os outros; o seu rosto se tornará rosto flamejante (Is 13.6-8).

Esse dia é descrito como o grande e terrível Dia do Senhor. Será o dia do Juízo. O dia do julgamento. O dia do Senhor, o dia da segunda vinda de Cristo (Mt 24.27,37,39) será o dia de glória para os salvos, mas de pranto, dor e perdição para os ímpios (Am 5.18-20). Os escritores do Novo Testamento identificam "o dia do Senhor" como o dia da segunda vinda de Cristo.

William Barclay ensina que para o judeu todo o tempo estava dividido em duas eras. A era presente que se considerava absoluta e irremediavelmente má. E a era futura que seria a época de ouro de Deus. Mas entre ambas estava o Dia do Senhor. Esse dia seria terrível. Seria como as dores de parto de um mundo novo; um dia em que um mundo se destroçaria e o outro nasceria para a vida.[191]

## A igreja deve aguardar a segunda vinda de Cristo com profunda vigilância (5.4-7)

Warren Wiersbe diz que Paulo está fazendo em todo este parágrafo um contraste entre os salvos que estão preparados para a segunda vinda de Cristo e os ímpios que estão despreparados. O contraste pode ser assim descrito: 1) Conhecimento e ignorância (5.1,2); 2) Expectativa e surpresa (5.3-5); 3) Sobriedade e embriaguez (5.6-8); 4) Salvação e julgamento (5.9-11).[192] Duas verdades merecem destaque:

1. A vigilância é resultado de uma transformação espiritual (5.4,5). Como dissemos, Paulo, agora, formula um contraste entre os salvos e os ímpios. Ele diz que os salvos são filhos da luz e filhos do dia e não estão mais nas trevas da ignorância e do pecado.

William Hendriksen afirma que esses irmãos se constituem numa nítida antítese com os homens do mundo. Esses últimos estão em trevas, envolvidos por elas, submersos nelas. As trevas entram em seus corações e mentes, em todo o seu ser. Essas são as trevas do pecado e da descrença. É em razão dessas trevas que os descrentes não são sóbrios nem vigilantes.[193]

A segunda vinda de Cristo, entrementes, não apanhará os filhos da luz dormindo desprevenidos e despreparados. Embora os salvos não saibam o dia nem a hora da segunda vinda de Cristo, eles têm azeite em suas lâmpadas e estarão esperando o noivo e sairão ao Seu encontro. Os salvos amam a segunda vinda, esperam a segunda vinda, oram pela segunda vinda e apressam a segunda vinda por intermédio de um serviço consagrado. Para estes, a segunda vinda será dia de luz e não de trevas!

Os crentes foram transformados. Eles não vivem apenas de aparência como as cinco virgens néscias. Eles não deixam para se preparar na última hora. Eles não fizeram apenas mudanças externas. Eles foram transformados radicalmente como a luz se diferencia das trevas e o dia da noite. Quando a rainha Maria de Orange estava morrendo, seu capelão tentou prepará-la com uma leitura. Ela respondeu: "Eu não deixei este assunto para esta hora".[194]

2. A vigilância deve ser constante (5.6,7). Paulo exorta sobre o perigo do crente imitar o ímpio em vez de influenciá-lo; o perigo de a igreja assimilar o mundo em vez de confrontá-lo. Os filhos da luz não podem dormir como aqueles que vivem nas trevas.

Dormir aqui não tem o sentido natural (descansar) nem o sentido metafórico (morrer), mas o sentido moral (viver como se nunca houvesse de vir o dia do Juízo). Pressupõe-se a existência de relaxamento espiritual e moral. Significa estar despreparado como as cinco virgens loucas (Mt 25.3,8).[195] Howard Marshall nesta mesma linha de pensamento afirma que aqui a referência diz respeito a um sono moral, o estado em que uma pessoa é espiritualmente inconsciente e insensível à chamada de Deus. O sono e a embriaguez estão associados com a noite e não com o dia; são estados que pertencem à situação da qual os cristãos já foram libertos.[196]

Quando uma pessoa está dormindo ela não está alerta nem envolvida no que está acontecendo ao seu redor. Assim, quando um crente está dormindo ele não está vigiando nem está envolvido nas coisas de Deus. Jesus adverte: "Vigiai, pois, porque não sabeis o dia nem a hora" (Mt 25.13).

O apóstolo Paulo fala sobre dois aspectos vitais nessa preparação para a segunda vinda de Cristo:
- A necessidade de vigiar (5.6). Os filhos da luz devem estar atentos e viver de olhos abertos. Eles devem observar os avisos e atentar para as promessas. Devem viver em obediência sabendo que o dia do juízo se aproxima. William Hendriksen diz que ser vigilante significa viver uma vida santificada, consciente da vinda do dia do juízo. Pressupõe-se precaução espiritual e moral.[197]

- A necessidade de ser sóbrio (5.6,7). Ser sóbrio significa estar cheio de ardor moral e espiritual; não é viver superempolgado, por um lado, nem indiferente por outro, porém, calma, firme e racionalmente.[198] A sobriedade é exatamente o oposto da embriaguez.

Howard Marshall escreve que o bêbado é uma pessoa que perde o controle das suas faculdades e está fora de contato com a realidade.[199] Uma pessoa sóbria, porém, tem autocontrole. Uma pessoa embriagada, por sua vez, não apenas perde o autocontrole, mas também não se apercebe dos perigos à sua volta. Ser sóbrio é viver preparado para a segunda vinda de Cristo a todo instante. Devemos ter azeite em nossas lâmpadas todo dia. Devemos vigiar todo dia. Devemos aguardar a vinda do Senhor todo dia. Devemos orar para que Ele venha todo dia. O apóstolo Paulo escreveu:

> E digo isto a vós outros que conheceis o tempo: já é hora de vos despertardes do sono; porque a nossa salvação está, agora, mais perto do que quando no princípio cremos. Vai alta a noite, e vem chegando o dia. Deixemos, pois, as obras das trevas e revistamo-nos das armas da luz. Andemos dignamente, como em pleno dia, não em orgias e bebedices, não em impudicícias e dissoluções, não em contendas e ciúmes; mas revesti-vos do Senhor Jesus Cristo e nada disponhais para a carne no tocante às suas concupiscências (Rm 13.11-14).

A igreja deve aguardar a segunda vinda de Cristo com corajosa militância (5.8).

Três verdades são destacadas pelo apóstolo Paulo:

1. Devemos aguardar a segunda vinda de Cristo não como espectadores passivos, mas como soldados militantes (5.8). Muitas pessoas adotam uma posição escapista e

omissa em relação à segunda vinda de Cristo. Trancam-se em seus guetos, vasculhando profecias e sinais ao mesmo tempo em que se escondem dos confrontos sociais. Vivem tão absortas com as profecias que esquecem da missão. Vivem tão ocupadas em identificar tempos e épocas reservados apenas ao Senhor que esquecem de obedecer à grande comissão dada pelo Senhor.

Warren Wiersbe corretamente afirma que viver na expectativa da segunda vinda de Cristo não é vestir um lençol branco e assentar-se no alto de um monte. É justamente esse tipo de atitude que Deus condena (At 1.10,11). Antes, é viver à luz de Sua volta, conscientes de que nossas obras serão julgadas e de que não teremos novas oportunidades de servir. É viver de acordo com os valores da eternidade.[200]

Há aqueles que chegam a pensar e a pregar que quanto pior melhor, pois assim, Cristo está mais perto de voltar para buscar a Sua igreja. Aqueles que subscrevem essa visão míope fogem do mundo, em vez de serem elementos de transformação no mundo. A posição cristã é de enfrentamento e não de fuga. Aguardamos a segunda vinda de Cristo não fugindo dos embates do mundo com vestes ascensionais, mas entrando no campo de combate como soldados de Cristo. Devemos lutar para acordar os que estão dormindo (Ef 5.14). Devemos vigiar para que o inimigo não nos enrede com suas astúcias. Devemos nos preparar para aguardar o nosso grande Deus e Salvador, Jesus Cristo (1Jo 3.3).

2. Devemos aguardar a vinda de Cristo protegendo nossos corações e mentes em Cristo (5.8). A couraça protege o coração e o capacete protege a cabeça. Mente e coração devem ser protegidos na medida em que entramos nessa renhida peleja. O que pensamos e o que sentimos deve estar debaixo

da proteção divina enquanto aguardamos a segunda vinda de Cristo. Razão e emoção precisam estar protegidas.

A fé e o amor são como uma couraça que cobre o coração: a fé em Deus e o amor pelo povo de Deus. A esperança é um capacete resistente que protege os pensamentos. Russel Norman Champlin diz que a armadura aqui aludida é a proteção espiritual para a cabeça e o coração. Com a cabeça e o coração corretos, o homem inteiro andará direito.[201] Os incrédulos enchem sua mente das coisas deste mundo, enquanto os cristãos consagrados voltam sua atenção para as coisas do alto (Cl 3.1-3).[202]

3. Devemos aguardar a segunda vinda de Cristo revestindo-nos das três virtudes cardeais (5.8). A fé e o amor nos protegem o coração e a esperança da salvação protege nossa mente. Uma fé viva em Cristo e um amor profundo por Deus e pelo próximo nos livram dos dardos inflamados do maligno. Uma esperança firme na gloriosa salvação e recompensa que se consumarão na segunda vinda de Cristo protege nossa mente de qualquer dúvida ou sedução deste mundo.

A fé e o amor são as qualidades essenciais que o cristão deve demonstrar com relação a Deus e os homens, e a esperança da salvação final é a garantia que o capacita a perseverar a despeito de todas as dificuldades, lembra Howard Marshall.[203]

## A igreja deve aguardar a segunda vinda de Cristo com sólida confiança (5.9,10)

O apóstolo Paulo tem a garantia do futuro porque finca os pés no solo firme do passado. Ele tem certeza da glória, porque está estribado na redenção realizada na cruz. Três verdades benditas são destacadas por Paulo com respeito à nossa salvação:

1. A eleição divina (5.9). A nossa salvação não nos foi dada como resultado dos nossos méritos ou obras, mas como destinação do próprio Deus. A salvação tem dois aspectos: um negativo e outro positivo. Negativamente, a salvação é o livramento da ira. Deus não nos destinou para a ira (1.10; 5.9). Positivamente, a salvação é a apropriação dos resultados da obra de Cristo na cruz (5.9,10). Deus nos destinou para a salvação: "Porquanto Deus enviou o seu Filho ao mundo, não para que julgasse o mundo, mas para que o mundo fosse salvo por ele" (Jo 3.17).

2. A redenção na cruz (5.9,10). A razão por que os crentes podem aguardar a salvação e não a ira encontra-se na Pessoa de Jesus que morreu por eles. Se Jesus não tivesse morrido, teriam sido destinados para a ira. A morte de Cristo teve o efeito de um sacrifício expiador do pecado e que, ao morrer, Ele ficou solidário conosco em nossa pecaminosidade a fim de que sejamos solidários com Ele na Sua justiça.[204]

Alcançamos a salvação mediante nosso Senhor Jesus Cristo. Não é pelos Seus ensinos ou milagres, mas por Sua morte. A eleição divina não anula a cruz de Cristo, mas está centrada nela. Somos salvos pela morte de Cristo. Foi Seu sacrifício vicário e substitutivo que nos livrou da ira e nos deu a vida eterna. Não podemos separar a teologia da cruz da teologia da glória. Jesus morreu a nossa morte para vivermos a Sua vida.

A razão por que os crentes podem aguardar a glória e não a ira é porque o Pai os destinou para a salvação (2Tm 1.9; 2Ts 2.13; Ef 1.4) e porque Cristo morreu por eles. Aqueles a quem Deus predestina, a esses também Deus chama, justifica e glorifica (Rm 8.30).

3. A comunhão eterna (5.10). Paulo acentua que tanto os que estão vivos (os que vigiam), quanto os que morrem

(dormem) estarão em união com Cristo. Estamos unidos com Cristo agora e estaremos unidos com Ele no céu. Estamos em Cristo, enxertados Nele. Já morremos com Ele. Já ressuscitamos com Ele. Já estamos assentados nas regiões celestiais com Ele. Estaremos com Ele para sempre. Reinaremos com Ele por toda a eternidade. Nada nem ninguém neste mundo nem no porvir poderá nos separar Dele.

A confiança na herança dessas bênçãos encoraja os crentes ao consolo recíproco e à edificação mútua (5.11). O crente não apenas edifica-se a si mesmo, ele é edificado por outros. O crescimento espiritual da igreja depende da contribuição de cada um dos membros. Grande parte do nosso trabalho até a gloriosa volta do Senhor é confortar e encorajar uns aos outros. Precisamos encorajar uns aos outros com respeito à nossa gloriosa esperança. Nossa Pátria não está aqui. Nosso destino é a glória.

## Notas do capítulo 6

[178] GLOAG, P. J. *I Thessalonians*. In the pulpit commentary. Vol. 21. 1978: p. 102.
[179] BARLOW, George. *The preacher's complete homiletic commentary*. Vol. 28. 1996: p. 535-537.
[180] RIENECKER, Fritz e ROGERS, Cleon. *Chave lingüística do Novo Testamento grego*. 1985: p. 444.
[181] MARSHALL, I. Howard. *I e II Tessalonicenses: Introdução e comentário*. 1984: p. 161.
[182] HENDRIKSEN, William. *1 e 2 Tessalonicenses*. 1998: p. 180.
[183] MARSHALL, I. Howard. *I e II Tessalonicenses: Introdução e comentário*. 1984: p. 162.
[184] WIERSBE, Warren W. *Comentário bíblico expositivo*. Vol. 6. 2006: p. 238.
[185] HENDRIKSEN, William. *1 e 2 Tessalonicenses*. 1998: p. 181.
[186] MARSHALL, I. Howard. *I e II Tessalonicenses: Introdução e comentário*. 1984: p. 162,163.
[187] CHAMPLIN, Russell Norman. *O Novo Testamento interpretado versículo por versículo*. Vol. 5. n.d: p. 210.
[188] WIERSBE, Warren W. *Comentário bíblico expositivo*. Vol. 6. 2006: p. 239.
[189] MARSHALL, I. Howard. *I e II Tessalonicenses: Introdução e comentário*. 1984: p. 163.
[190] CHAMPLIN, Russell Norman. *O Novo Testamento interpretado versículo por versículo*. Vol. 5. n.d: p. 210.
[191] BARCLAY, William. *Filipenses, Colosenses, I y II Tesalonicenses*. 1973: p. 212.
[192] WIERSBE, Warren W. *Comentário bíblico expositivo*. Vol. 6. 2006: p. 237-241.
[193] HENDRIKSEN, William. *1 e 2 Tessalonicenses*. 1998: p. 182.
[194] BARCLAY, William. *Filipenses, Colosenses, I y II Tesalonicenses*. 1973: p. 213.
[195] HENDRIKSEN, William. *1 e 2 Tessalonicenses*. 1998: p. 184.
[196] MARSHALL, I. Howard. *I e II Tessalonicenses: Introdução e comentário*. 1984: p. 166.
[197] HENDRIKSEN, William. *1 e 2 Tessalonicenses*. 1998: p. 184.
[198] HENDRIKSEN, William. *1 e 2 Tessalonicenses*. 1998: p. 185.
[199] MARSHALL, I. Howard. *I e II Tessalonicenses: Introdução e comentário*. 1984: p. 166.

[200] WIERSBE, Warren W. *Comentário bíblico expositivo*. Vol. 6. 2006: p. 238.
[201] CHAMPLIN, Russell Norman. *O Novo Testamento interpretado versículo por versículo*. Vol. 5. n.d.: p. 213.
[202] WIERSBE, Warren W. *Comentário bíblico expositivo*. Vol. 6. 2006: p. 239.
[203] MARSHALL, I. Howard. *I e II Tessalonicenses: Introdução e comentário*. 1984: p. 168.
[204] MARSHALL, I. Howard. *I e II Tessalonicenses: Introdução e comentário*. 1984: p. 169,170.

# Capítulo 7

## Como cultivar relacionamentos saudáveis na igreja
(1Ts 5.12-28)

A IGREJA É UMA FAMÍLIA em que os relacionamentos devem ser pautados pelo amor. O nome favorito utilizado por Paulo para descrever os crentes é "irmãos". Ele usou esse título pelo menos sessenta vezes em suas cartas e nestas duas cartas aos tessalonicenses, ele o empregou 27 vezes.

Não há família saudável sem relacionamentos saudáveis. Depois de falar sobre a esperança futura dos salvos e a maneira que devemos aguardar dos céus o Senhor Jesus, Paulo conclui sua carta tratando de alguns aspectos práticos acerca da comunhão na família cristã.

Vamos examinar esses princípios dentro de quatro perspectivas: a relação dos crentes com a liderança da igreja, a relação dos crentes entre si, a relação dos crentes com Deus e a relação da liderança da igreja com os crentes.

## A relação dos crentes com a liderança da igreja (5.12,13)

O apóstolo Paulo destaca duas atitudes imprescindíveis que os crentes devem ter em relação aos líderes espirituais da igreja:

1. Os crentes devem acatar com apreço os líderes (5.12). Paulo, pavimentando o caminho de um relacionamento saudável dentro da igreja, se dirige aos crentes como irmãos e lhes faz um apelo, em vez de dar-lhes uma ordem. Pedir produz resultados melhores do que ordenar. Um líder sábio não esbraveja ordens, mas suplica com doçura.

A razão por que os crentes devem acatar e obedecer aos líderes com apreço é por causa do trabalho que realizam. Não é uma questão de prestígio pessoal, é o trabalho que faz grande a um homem; sua insígnia de honra é o serviço que realiza, preceitua William Barclay.[205]

Os líderes são chamados por Paulo de trabalhadores, superintendentes e admoestadores. Howard Marshall afirma corretamente que estes são três aspectos do trabalho do mesmo grupo de pessoas, e não uma lista de três categorias de pessoas. Esses são aqueles que exercitam a liderança na comunidade.[206] Os líderes são dádivas de Deus à igreja.

Paulo elenca três aspectos do trabalho dos líderes:

a. A liderança é um posto de trabalho e não de privilégios (5.12). Paulo afirma: "[...] que acateis com apreço os que trabalham entre vós...". Os líderes devem ser obedecidos em razão da natureza do seu trabalho. A palavra grega *kopiao* refere-se tanto ao trabalho corporal quanto ao mental.[207] William Hendriksen diz que Paulo com freqüência usava esse verbo *kopiao* ao pensar no trabalho que requeria esforço extremado e que resultava em canseira.[208] O autor aos Hebreus escreve assim:

> Obedecei aos vossos guias e sede submissos para com eles; pois velam por vossa alma, como quem deve prestar contas, para que façam isto com alegria e não gemendo; porque isto não aproveita a vós outros" (Hb 13.17).

O líder espiritual é um servo, um trabalhador. A liderança na igreja não é um posto de privilégios, mas uma plataforma de serviço. Os líderes trabalham entre os irmãos e não acima deles. Eles não são dominadores do rebanho, mas servos dele. Eles não vivem para explorar as ovelhas, mas para apascentá-las.

b. A liderança é um ministério de presidência dada por Deus (5.12). Paulo diz: "[...] que acateis com apreço [...] os que vos presidem no Senhor...". A palavra grega *proistamenous* tem dois significados possíveis: presidir, liderar, dirigir; ou proteger, cuidar, assistir.[209] Howard Marshall entende que Paulo está pensando aqui naqueles cuja tarefa é cuidar da igreja e supervisioná-la e que, como conseqüência, têm certa medida de jurisdição sobre seus membros e suas atividades.[210] O líder espiritual exerce a função de um pai espiritual na igreja. Sua liderança não é auto-imposta, mas delegada por Deus. Ele exerce essa presidência não com truculência, mas no Senhor. Sua liderança é espiritual. Como irmãos, os líderes estão "entre vós"; e como líderes, eles estão "sobre vós no Senhor", ou seja, "vos presidem no Senhor". Estar "entre" e "sobre" ao mesmo tempo não é fácil. A autoridade do líder precisa ser firme e ao mesmo tempo com doçura. Quando um líder deixa de ser ovelha, ele se torna lobo.

c. A liderança é um trabalho de exortação e encorajamento (5.12). Paulo conclui e diz: "[...] que acateis com apreço os que [...] vos admoestam". Os admoestadores são aqueles que despertam a mente de seus irmãos para obedecer às ordenanças de Deus.[211] A palavra grega *nouthesia* era empregada para a admoestação e correção daqueles que estão errados.[212] Esta palavra é utilizada para advertir aqueles que estão se desviando, ou que estão em perigo de fazê-lo (5.14; 2Ts 3.15; Cl 1.28; 3.16; At 20.31). A implicação é que aqueles que admoestam têm autoridade para admoestar.[213] O líder é aquele que tem o direito e a autoridade para confrontar os membros da igreja, corrigindo-os, encorajando-os e consolando-os.

2. Os crentes devem amar e considerar profundamente os líderes espirituais (5.13). Uma igreja saudável tem uma liderança bíblica, e crentes que amam e respeitam sua liderança em plena medida. Os crentes devem tratar essa liderança em máxima consideração. A palavra grega *uperekperissos*, "em máxima", tem o significado de excedentemente, grandemente.[214] O verbo *perissos* já tem um sabor superlativo, pois significa "ser excessivo", "ser mais que suficiente". Com o prefixo intensificador *uper* torna-se um vocábulo que expressa grau máximo, diz Russel Norman Champlin.[215]

Não há nada de errado em honrar servos fiéis de Deus, desde que Deus receba a glória, afirma Warren Wiersbe.[216] A liderança espiritual é uma grande responsabilidade e uma tarefa difícil. As batalhas e os fardos são muitos e, algumas vezes, o encorajamento é pouco. Precisamos ser pródigos no encorajamento e na intercessão a favor dos nossos líderes.

O amor e a consideração aos líderes são novamente em razão do trabalho que desempenham e não por outros privilégios requeridos pelos líderes. Howard Marshall deixa essa verdade meridianamente clara:

> Na igreja do Novo Testamento, honra não é dada às pessoas por causa de quaisquer qualidades que porventura possuem devido ao nascimento ou à posição social, nem aos dons naturais, mas somente com base na tarefa espiritual para a qual são chamadas. O líder cristão deve ser um servo e não procurar glória para si mesmo.[217]

Se os crentes falam mal de seus líderes e não os acatam nem lhes dão a devida honra, a desarmonia e a murmuração tomam conta da igreja. Agora Paulo não dá um conselho, mas uma ordem: "Vivei em paz uns com os outros" (5.13b). William Hendriksen lembra que em conexão com o que precede imediatamente, isso deve significar: "Parem com as reclamações. Em lugar de criticar constantemente os líderes, segui suas instruções, de modo que a paz (nesse caso: ausência de dissensão) venha a reinar".[218]

Warren Wiersbe exorta:

> Os líderes devem ser respeitados e obedecidos, a menos que estejam claramente fora da vontade de Deus. Quando a família da igreja segue seus líderes espirituais, o resultado é paz e harmonia na congregação. Quando encontramos divisão e dissensão em uma igreja local, normalmente isso se deve ao egoísmo e ao pecado da parte dos líderes, ou dos membros, ou de ambos.[219]

## A relação dos crentes entre si (5.14,15)

O apóstolo Paulo faz uma transição da mancira que os crentes devem tratar os líderes para o modo que os crentes devem se relacionar entre si. Paulo passa a aconselhar a comunidade a respeito da forma de tratar as pessoas com problemas e necessidades espirituais especiais. O confronto e a exortação não são tarefas exclusivas dos líderes.

William Hendriksen corretamente afirma que a disciplina mútua deve ser exercida por todos os membros. É errôneo deixar isso apenas sob a responsabilidade do pastor e dos anciãos.[220] Somos capacitados por Deus para exortar-nos uns aos outros (Rm 15.14). Os membros da família devem aprender a ministrar uns aos outros. Os membros mais velhos devem ensinar os membros mais novos (Tt 2.3-5) e encorajá-los quando estiverem passando por dificuldades.[221]

O apóstolo Paulo ensinou mais tarde que os líderes equipam os membros para o serviço do ministério (Ef 4.12). Em muitas igrejas, porém, os membros pagam seus pastores para fazerem a obra por eles enquanto ficam apenas observando.

Paulo nomeia alguns membros especiais da família que precisam de ajuda pessoal e destaca seis atitudes que devemos ter uns para com os outros dentro da igreja:

1. Os insubmissos devem ser admoestados (5.14). A igreja deve ser uma família ordeira. Na igreja de Tessalônica algumas pessoas estavam se rebelando contra o ensino do apóstolo Paulo (2Ts 3.6,11) e Paulo orienta os crentes a não andarem em comunhão com esses insubmissos. Um membro de igreja insubmisso à Palavra de Deus e à liderança torna-se uma pedra de tropeço para os demais crentes.

A palavra grega *ataktos,* encontrada somente aqui no Novo Testamento, originalmente referia-se àqueles que não mantinham sua posição apropriada, quer no exército, quer na vida civil.[222] Este termo era usado para se referir aos soldados que não se mantinham na devida formação e que insistiam em marchar a seu modo.[223]

Nessa mesma linha de pensamento Fritz Rienecker diz que *ataktos* significa sem ordem, desordenadamente, fora de alinhamento. A palavra era, primeiramente, um termo militar utilizado em relação ao soldado que estava fora de sintonia ou de alinhamento na fileira em marcha, ou acerca do movimento desordenado de um exército. Depois usou-se mais genericamente para qualquer coisa que estivesse fora de ordem. Nessa passagem, a referência especial parece que é à preguiça e negligência do dever, atitudes que caracterizavam certos membros da igreja em Tessalônica, que esperavam a *parousia* para muito breve.[224]

Howard Marshall orienta que os comentaristas mais antigos preferiam traduzir *ataktos* como "desocupados", ou "preguiçosos". O sentido de vadiar quando se deve estar trabalhando é atestado nos documentos contemporâneos escritos em papiros. O tipo específico de desordem que estava em mira encontrava-se numa recusa em trabalhar e em conformar-se com o estilo de vida normal para empregados. Essas pessoas devem ser admoestadas.[225]

2. Os desanimados devem ser consolados (5.14). Há crentes que se enfraquecem com as provas e perdem a alegria, o ânimo e o entusiasmo. Esses crentes não devem ser abandonados e esquecidos, mas consolados e reanimados. Provavelmente esses desanimados eram aqueles que estavam preocupados com os seus parentes que haviam morrido. Em toda comunidade se encontram irmãos pusilânimes que instintivamente temem o pior.

A tradução literal do termo grego *oligopsixous* é "de alma pequena, tímidos". São os desistentes da família da igreja. Sempre vêem o lado negativo e, quando as coisas ficam difíceis, jogam tudo para o alto. Essas pessoas precisam ser encorajadas. O termo grego usado por Paulo é constituído de duas palavras: *para*, "próximo"; e *mutho*, "fala". Em vez de repreender os desanimados ao longe, o melhor é aproximar-se deles e lhes falar com ternura. Devemos ensinar aos que têm "alma pequena" que as provações da vida contribuirão para o seu crescimento e fortalecimento na fé.[226]

3. Os fracos devem ser amparados (5.14). Havia na igreja pessoas fracas espiritualmente. A palavra grega *astheneia* significa "doente, sem forças, fraco". Refere-se provavelmente a pessoas moral ou espiritualmente fracas.[227] Alguns estavam caindo na sedução da impureza sexual (4.3-8); outros estavam caindo nas garras do legalismo e perdendo a alegria da sua liberdade em Cristo.

Warren Wiersbe comenta:

> Normalmente, os cristãos fracos têm medo de sua liberdade em Cristo. Vivem de acordo com regras e normas. Nas congregações em Roma, os cristãos mais fracos observavam os dias santos judeus e não comiam carne. Julgavam com severidade os cristãos maduros que desfrutavam todos os alimentos e dias.[228]

4. Todos devem ser tratados com longanimidade (5.14). A paciência com todos deve ser o vetor que dirige os relacionamentos dentro da igreja. Precisamos ter paciência com um membro fraco, pois ele poderá ser um líder amanhã. Devemos olhar não apenas para aquilo que as pessoas são, mas, principalmente para o que poderão vir a ser.

Precisamos ter cuidado para não esmagarmos a cana quebrada ou apagar a torcida que fumega. Há líderes que machucam as pessoas e tripudiam seus liderados. Há líderes possessivos, presunçosos, megalomaníacos, e truculentos. Precisamos exercitar a paciência que vai além, que oferece a outra face, que anda a segunda milha, e abençoa até mesmo aqueles que nos maldizem.

5. Não se deve pagar o mal com o mal (5.15). Muitas vezes, o líder não é compreendido, não é amado nem encorajado.

Paulo sofreu muitas pressões, acusações, ataques e censuras. Foi escorraçado da cidade de Tessalônica, foi chamado de tagarela em Atenas e de impostor em Corinto. Foi vítima de uma trama em Jerusalém e ficou preso em Cesaréia. Porém, ele jamais deixou que as pessoas interferissem na sua maneira de agir, nos seus sentimentos e nas suas motivações. Não podemos retaliar quando somos feridos (1Co 4.12; 6.7; 1Pe 3.9). Não podemos alterar o curso da nossa atitude porque as pessoas nos atacam (Rm 12.17-21).

Aqueles que foram objetos da graça precisam ser canais dela na vida de outras pessoas. Os perdoados precisam perdoar. Retribuir o bem com o mal é demoníaco. Retribuir o bem com o bem é humano, mas retribuir o mal com o bem é divino. Devemos imitar o nosso Pai celestial.

Já no Antigo Testamento a vingança tinha sido limitada ao equivalente exato: "[...] olho por olho, dente por dente" (Êx 21.23-25; Lv 24.17-21; Dt 19.21), e este visava a ser o limite. O ensino veterotestamentário posterior avançava na direção de proibir a retaliação (Pv 20.22). Paulo, porém, vai bem além disto com seu mandamento positivo: "segui sempre o bem". Jesus de igual modo mostrou a necessidade de refrear a vingança e amar os próprios inimigos (Mt 5.38-48; Lc 6.27-36).[229]

6. A prática do bem deve ser exercida na igreja e fora dela (5.15). O apóstolo Paulo conclui: "[...] segui sempre o bem entre vós e para com todos". O crente deve ser um benfeitor. Ele deve fazer o bem não apenas aos irmãos, mas também aos de fora da igreja. A ética cristã não é apenas intramuros. Devemos ter um bom testemunho dos de fora da igreja. Precisamos ter uma vida irrepreensível. Nossa vida precisa referendar a nossa palavra e a nossa pregação.

## A relação dos crentes com Deus (5.16-22)

O apóstolo Paulo alista sete pontos importantes da nossa relação com Deus:

1. O crente deve ter uma alegria ultracircunstancial (5.16). O apóstolo Paulo escreve: "Regozijai-vos sempre" (5.16). A alegria é contagiante. A verdadeira alegria não é apenas a presença de coisas boas nem tampouco a ausência de coisas ruins. A nossa alegria é uma pessoa. A nossa alegria é Jesus. Howard Marshall diz que essa ordem apostólica com freqüência é associada à privação e à perseguição: o cristão regozija-se a despeito da aflição e, às vezes, quase por causa dela (1Pe 4.13).[230] Duas verdades são destacadas neste versículo:

a. A alegria é imperativa. Ser alegre é um mandamento, uma ordem. Não temos opção de sermos uma pessoa triste. Não ser uma pessoa alegre é uma desobediência explícita a um mandamento apostólico. A alegria é a marca do salvo. O evangelho que abraçamos é boa nova de grande alegria. O Reino de Deus que está dentro de nós é alegria no Espírito Santo. O fruto do Espírito é alegria e a ordem de Deus é "alegrai-vos sempre". A alegria não é uma opção, é um mandamento. Não ser uma pessoa alegre é desobediência a um mandamento apostólico.

b. A alegria é independente das circunstâncias. Já que o crente não é poupado das vicissitudes da vida, e uma vez que a ordem é para ele regozijar-se sempre, deduzimos que a alegria do crente é ultracircunstancial, ou seja, não depende das circunstâncias. Estar alegre quando tudo está bem, até um ateu consegue. Mas experimentar uma alegria constante e apesar das circunstâncias só um cristão consegue.

2. O crente deve manter um espírito contínuo de oração (5.17). "Orai sem cessar" não significa estar sempre

sussurrando orações. O termo traduzido por "sem cessar" não significa fazer continuamente, mas sim "voltar a fazer constantemente". Devemos manter conexão permanentemente ativa com Deus, de modo que a nossa oração faça parte de uma longa conversa sem interrupções.[231]

Fritz Rienecker deixa essa idéia mais clara quando afirma que a palavra grega *adialeiptos* foi usada para descrever o ininterrupto pagamento de certas taxas necessárias; o serviço ou ministério contínuo de um oficial; uma tosse contínua e ininterrupta; ataques militares repetidos; as contínuas falhas de um esforço militar; a produção regular e constante de frutos.[232] Os crentes devem viver em tal comunhão com Deus que a oração, quer falada, quer silenciosa, sempre seja fácil e natural para ele. O cristão não está confinado a alguns horários fixos de oração, mas pode orar em qualquer tempo e em todos os lugares.

O salvo é alguém que aspira por Deus, mais do que pelas bênçãos de Deus. Ele se deleita em ter comunhão com o Pai. Ele tem fome de Deus.

3. O crente deve dar graças a Deus em todas as circunstâncias (5.18). "Em tudo, dai graças" não significa dar graças pelo mal moral. Ao contrário, é louvar a Deus sabendo que Ele é poderoso para transformar os vales em mananciais e o mal em bem.

A adoração, a comunhão e a gratidão são evidências de uma vida cheia do Espírito Santo (Ef 5.19,20). Os crentes devem achar razão para louvar e agradecer a Deus em qualquer situação na qual se encontrarem, e, portanto, a todo o tempo. Isso não significa que todas as coisas que acontecem com os crentes são coisas boas em si, mas Deus as trabalha e as transforma em bem para nós (Rm 8.28). O crente não é masoquista. Ele não tem prazer em sofrer.

Ele não dá graças pelo sofrimento, mas pela providência generosa de Deus de transformar o sofrimento em fonte de consolo. Concordo com a poeta inglês William Cowper, quando disse: "Por trás de toda providência carrancuda, esconde-se uma face sorridente".

4. O crente não deve apagar a influência do Espírito Santo em sua *vida* (5.19). O uso da palavra "apagar" traz a figura do fogo como símbolo do Espírito Santo (Mt 3.11; Lc 3.16; At 2.3; Rm 12.11; 2Tm 1.6). Fogo fala de pureza, poder, luz e calor. O fogo ilumina, aquece, purifica e alastra. Apagamos o fogo quando removemos o combustível: jogando terra ou tirando o oxigênio. O fogo precisa ser mantido aceso no altar do coração. Apagamos o fogo quando cedemos ao pecado ou quando deixamos de orar e obedecer à Palavra.

Howard Marshall diz que havia uma tendência na igreja de Tessalônica para apagar o fogo do Espírito e ele explica dizendo que uma vez que os dons foram dados para o benefício da igreja, segue-se que onde a igreja fosse hostil ou indiferente para com eles, o exercício deles seria apagado; aqueles que poderiam exercer o dom ficariam reticentes em assim o fazer.[233]

Russel Norman Champlin ensina que no original grego temos o verbo *bennumi*, que significa "extinguir", "apagar", e que figuradamente significa "suprimir". Esse verbo era usado para dar a idéia de "apagar fogo", ou "ressecar coisas molhadas", para se tornarem secas. Também transmitia a idéia de tornar "inativas" muitas coisas.[234] Precisamos nos esforçar para manter a chama do Espírito sempre acesa em nossa alma.

5. O crente não deve desprezar as profecias (5.20). As mensagens apostólicas eram revelatórias. Atualmente, as

mensagens são expositivas. Profecias aqui não são apenas ensinos escatológicos, mas todo o conteúdo das Escrituras. O dom de profecias era o mais importante na Igreja primitiva (1Co 14.1). Paulo disse que a profecia fala aos homens edificando, exortando e consolando (1Co 14.3). Paulo ensina que a edificação, a exortação e o consolo que emanam da Palavra não devem ser desprezados na igreja.

William Hendriksen lembra que o dom de profecia era como uma chama ardente. Essa chama não deveria ser apagada ou extinta! Assim, Paulo une os dois assuntos, como se estivesse dizendo: "Ao Espírito não apaguem; aos pronunciamentos proféticos não desprezem". Isto porque ao desprezarem as profecias estavam rejeitando Aquele que é sua fonte, o Espírito Santo.[235] O mesmo escritor ainda esclarece:

> A razão para tal descrédito das palavras proféticas pode ser facilmente percebida. Onde quer que Deus planta trigo, Satanás semeia o seu joio. Onde quer que Deus estabeleça uma igreja, o diabo erige uma capela. E assim também, sempre que o Espírito Santo capacita determinados homens para operarem curas milagrosas, o diabo semeia suas "maravilhas da mentira". E sempre que o Paracleto coloca em cena um autêntico profeta, o enganador apresenta seu falso profeta. A mais fácil – não, porém, a mais sábia – reação a esse estado de coisas é o desprezo a toda profecia. Acrescente-se a isso o fato de que os fanáticos, os intrometidos e os ociosos de Tessalônica talvez não gostassem de alguns dos pronunciamentos dos legítimos profetas, o que nos fez entender prontamente por que entre alguns membros da congregação a proclamação profética caíra em descrédito.[236]

É preciso deixar claro que não existem hoje novas revelações de Deus forâneas às Escrituras. Como disse, Billy Graham, a Bíblia tem uma capa ulterior. Ainda mesmo que um anjo viesse do céu e pregasse alguma novidade fora da Bíblia deveria ser anátema. A revelação de Deus está contida na Escritura. Ele fala pela Escritura. Por isso, devemos restaurar a supremacia da Palavra e a primazia da pregação na Igreja contemporânea.

6. O crente precisa exercer discernimento espiritual (5.21). Paulo diz: "[...] julgai todas as cousas, retende o que é bom". Na Igreja primitiva havia mensageiros itinerantes que pregavam doutrinas estranhas. A igreja ao ouvir um pregador precisava estar apercebida e atenta. Paulo disse que enquanto um profeta fala, os ouvintes devem julgar (1Co 14.29). Na igreja de Corinto, algumas pessoas em estado de êxtase chegaram a proferir a blasfema expressão: "anátema Jesus" (1Co 12.3). Não podemos aceitar com verdade absoluta tudo aquilo que as pessoas falam em nome de Deus. O crente não pode ser menino no juízo. Ele precisa ser maduro e exercer pleno discernimento como os crentes bereanos que consultavam sempre a Escritura para conferir o que os pregadores diziam (At 17.11).

O crente tem a luz da verdade em sua mente. Ele não é uma pessoa de mente estreita. Ele tem discernimento. Ele tem capacidade para avaliar e julgar. Ele sabe distinguir entre o precioso e o vil (Jr 15.19). O crivo para o julgamento é a Palavra de Deus. Quando falta à igreja o conhecimento, a igreja é destruída (Os 4.12). Quando os crentes não examinam as Escrituras nem julgam os profetas, heresias perniciosas crescem no meio do rebanho.

7. O crente deve fugir de toda a forma do mal (5.22). Paulo escreve: "[...] abstende-vos de toda forma de mal". O crente é alguém que tem zelo e cuidado com seu testemunho. Ele não se imiscui com coisas duvidosas, com esquemas de corrupção, com leviandades perniciosas. O crente não anda

por veredas sinuosas nem se aliança com aqueles que vivem desordenadamente.

O verbo *apechomai* pode ter o sentido de "abster-se de fazer uma coisa má" como em 4.3, mais do que "manter-se longe de" ou "não ter nada a ver com", afirma Howard Marshall.[237]

**A relação da liderança da igreja com os crentes (5.23-28)**

Destacamos cinco pontos importantes acerca da relação da liderança espiritual com os crentes:

1. O líder espiritual deve orar pelos crentes (5.23,24). Paulo encerra o corpo principal da carta com a expressão de uma oração em prol de seus leitores (5.23) e uma garantia de que Deus responderá a ela (5.24). O pedido de Paulo é por santidade. Ele não pede prosperidade nem saúde, mas santidade.

A referência a "espírito", "alma" e "corpo" tem suscitado muito debate, visto ser este o único lugar no Novo Testamento em que parece haver uma descrição tripartite da natureza humana. Em outros trechos, no entanto, parece que Paulo pensa no homem como sendo corpo e alma ou como corpo e espírito sem nenhuma diferenciação muito clara entre a alma e o espírito.[238] Entendo que a posição dicotômica tem maior respaldo no ensino geral das Escrituras. Creio, portanto, que a ênfase de Paulo neste versículo é revelar que a santificação deve abranger a totalidade da nossa personalidade.

2. O líder espiritual deve pedir as orações dos crentes (5.25). Paulo foi o maior teólogo, o maior missionário, o maior evangelista, o maior apologeta e o maior plantador de igrejas da Igreja primitiva. Mas seu vasto conhecimento não fez dele um homem auto-suficiente. Ele tinha uma

sólida teologia da oração, e ele orava. Ele não só orava, mas pedia oração a seu favor (2Ts 3.1,2; Rm 15.30; Ef 6.18,19; Cl 4.3,4; Fp 1.19; Fm 22). Paulo acreditava que Deus age por meio das orações do Seu povo. Podemos tocar o mundo pela oração. Um crente de joelhos influencia mais o mundo do que um filósofo na ponta dos pés. Não há limitação nem fronteiras à oração. Aqueles que pessoalmente não podem sair para a missão podem compartilhar a obra ao orar pelos missionários.[239]

3. O líder espiritual deve estimular a comunhão fraternal (5.26). Paulo ordena: "Saudai todos os irmãos com ósculo santo". O beijo era usado no mundo antigo como uma forma de cumprimento. Também o ósculo ou beijo é um gesto de amor e amizade. O ósculo santo define que seu propósito é comunhão fraternal e não despertar outros sentimentos. Paulo está ensinando que o relacionamento entre os crentes deve ser efusivo, sincero e fraternal.

A afetividade na igreja é uma necessidade vital. Precisamos ter relacionamentos estreitos (At 20.36-38). Somos uma família e o amor deve ser o vínculo da perfeição que nos amalgama num só corpo.

4. O líder deve esforçar-se para que todos os crentes sejam igualmente instruídos (5.27). Paulo é enfático ao escrever: "Conjuro-vos, pelo Senhor, que esta epístola seja lida a todos os irmãos". Nenhum crente deveria ser esquecido acerca dessa instrução. Todos os membros da igreja deveriam estar presentes para receberem essa doutrina. A freqüência à igreja é uma necessidade vital dos membros e a exposição da verdade é um dever imperativo da liderança.

Howard Marshall observa que a ênfase "a todos os irmãos" indica que Paulo está pensando numa reunião com todos os membros da igreja – é interessante que ele simplesmente toma por certo que todos os membros da igreja realmente se reúnem regularmente, ao passo que muitos cristãos modernos são algo menos que regulares na sua freqüência à Casa de Deus.[240]

William Hendriksen é da opinião que alguns dos que andavam desordenadamente em Tessalônica, ao ouvirem que chegara uma carta dos missionários, e suspeitando que a mesma continha algumas admoestações dirigidas especialmente a eles, desejassem estar ausentes enquanto a carta fosse lida em voz alta à congregação. Assim Paulo enfatiza que, por todos os meios possíveis, cada pessoa da igreja deveria ouvir a leitura da carta![241]

5. A liderança espiritual deve invocar a bênção do Senhor sobre os crentes (5.28). A igreja deve caminhar sob a bênção de Deus. A impetração da bênção é um gesto glorioso quando a liderança espiritual da igreja entende que a bênção que deve sustentar o povo não procede dela mesma, mas vem do alto, vem de Deus!

## Notas do capítulo 7

[205] BARCLAY, William. *Filipenses, Colosenses, I y II Tesalonicenses*. 1973: p. 214.

[206] MARSHALL, I. Howard. *I e II Tessalonicenses: Introdução e comentário*. 1984: p. 176.

[207] RIENECKER, Fritz e ROGERS, Cleon. *Chave lingüística do Novo Testamento grego*. 1985: p. 446.

[208] HENDRIKSEN, William. *1 e 2Tessalonicenses*. 1998: p. 197.

[209] RIENECKER, Fritz e ROGERS, Cleon. *Chave lingüística do Novo Testamento grego*. 1985: p. 446.

[210] MARSHALL, I. Howard. *I e II Tessalonicenses: Introdução e comentário*. 1984: p. 177.

[211] HENDRIKSEN, William. *1 e 2Tessalonicenses*. 1998: p. 197.

[212] RIENECKER, Fritz e ROGERS, Cleon. *Chave lingüística do Novo Testamento grego*. 1985: p. 446.

[213] MARSHALL, I. Howard. *I e II Tessalonicenses: Introdução e comentário*. 1984: p. 178.

[214] RIENECKER, Fritz e ROGERS, Cleon. *Chave lingüística do Novo Testamento grego*. 1985: p. 446.

[215] CHAMPLIN, Russel Norman. *O Novo Testamento interpretado versículo por versículo*. Vol. 5. n.d.: p. 216.

[216] WIERSBE, Warren W. *Comentário bíblico expositivo*. Vol. 6. 2006: p. 242.

[217] MARSHALL, I. Howard. *I e II Tessalonicenses: Introdução e comentário*. 1984: p. 178.

[218] HENDRIKSEN, William. *1 e 2Tessalonicenses*. 1998: p. 199.

[219] WIERSBE, Warren W. *Comentário bíblico expositivo*. Vol. 6. 2006: p. 243.

[220] HENDRIKSEN, William. *1 e 2Tessalonicenses*. 1998: p. 200.

[221] WIERSBE, Warren W. *Comentário bíblico expositivo*. Vol. 6. 2006: p. 243.

[222] MARSHALL, I. Howard. *I e II Tessalonicenses: Introdução e comentário*. 1984: p. 180.

[223] WIERSBE, Warren W. *Comentário bíblico expositivo*. Vol. 6. 2006: p. 243.

[224] RIENECKER, Fritz e ROGERS, Cleon. *Chave lingüística do Novo Testamento grego*. 1985: p. 446.

[225] MARSHALL, I. Howard. *I e II Tessalonicenses: Introdução e comentário*. 1984: p. 180.

[226] WIERSBE, Warren W. *Comentário bíblico expositivo.* Vol. 6. 2006: p. 244.
[227] RIENECKER, Fritz e ROGERS, Cleon. *Chave lingüística do Novo Testamento grego.* 1985: p. 446.
[228] WIERSBE, Warren W. *Comentário bíblico expositivo.* Vol. 6. 2006: p. 244.
[229] MARSHALL, I. Howard. *I e II Tessalonicenses: Introdução e comentário.* 1984: p. 182,183.
[230] MARSHALL, I. Howard. *I e II Tessalonicenses: Introdução e comentário.* 1984: p. 184.
[231] WIERSBE, Warren W. *Comentário bíblico expositivo.* Vol. 6. 2006: p. 245.
[232] RIENECKER, Fritz e ROGERS, Cleon. *Chave lingüística do Novo Testamento grego.* 1985: p. 446,447.
[233] MARSHALL, I. Howard. *I e II Tesalonicenses: Introdução e comentário.* 1984: p. 188.
[234] CHAMPLIN, Russell Norman. *O Novo Testamento interpretado versículo por versículo.* Vol. 5. n.d.: p. 219.
[235] HENDRIKSEN, William. *1 e 2Tessalonicenses.* 1998: p. 206.
[236] HENDRIKSEN, William. *1e 2Tessalonicenses.* 1998: p. 2006.
[237] MARSHALL, I. Howard. *I e II Tessalonicenses: Introdução e comentário.* 1984: p. 190.
[238] MARSHALL, I. Howard. *I e II Tessalonicenses: Introdução e comentário.* 1984: p. 193.
[239] MARSHALL, I. Howard. *I e II Tessalonicenses: Introdução e comentário.* 1984: p. 195.
[240] MARSHALL, I. Howard. *I e II Tessalonicenses: Introdução e comentário.* 1984: p. 196.
[241] HENDRIKSEN, William. *1 e 2Tessalonicenses.* 1998: p. 213.

# 2 TESSALONICENSES

## Capítulo 1

## Como enfrentar vitoriosamente a tribulação
(2Ts 1.1-12)

DEPOIS DE UM BREVE TEMPO QUE enviara a primeira carta à igreja de Tessalônica, Paulo envia a segunda carta. Essa igreja nascera debaixo de perseguição (At 17.4-6) e a perseguição em vez de acabar estava aumentando (1.4-6).

Na primeira carta Paulo tratou de alguns aspectos da vida futura como a situação dos que morrem em Cristo (4.13-18) e a maneira da segunda vinda de Cristo (5.1-11). Nesta carta, ele encoraja os crentes que ainda estão passando por uma forte tribulação (1.3-12), dizendo-lhes que o consolo dos salvos tem suas raízes no passado e suas esperanças no futuro. Fala, também, especificamente do Dia do Senhor (2.1-8) e a maneira como a igreja deveria tratar os crentes que estavam rejeitando os ensinos da sua primeira carta (3.6-11).

Na saudação, identificamos os três elementos básicos dos nomes dos escritores da carta, do nome dos endereçados, e da expressão dos melhores votos cristãos. Estes três elementos se acham na presente saudação quase sem alteração, porque os mesmos escritores estão escrevendo para os mesmos endereçados não muito tempo após a primeira carta.[242] Vejamos esses três elementos mais detidamente:

Em primeiro lugar, *os remetentes da carta* (1.1). Paulo, Silas e Timóteo são os mesmos que enviaram a primeira carta. Eles ainda estão em Corinto e enviam, agora, a segunda carta. Nada obstante Silas e Timóteo constarem como remetentes da carta, eles não foram co-autores. Paulo cita seus nomes por uma questão de fidalguia e honra aos seus obreiros colaboradores. Toda a carta reflete o fato de que esta não é uma carta escrita a três mãos, mas uma epístola genuinamente paulina.

Em segundo lugar, *os destinatários da carta* (1.1). A única diferença no registro dos destinatários da primeira para a segunda carta é o acréscimo da palavra "nosso" antes de Pai. A igreja estava radicada em Tessalônica, mas tinha suas raízes plantadas em Deus, nosso Pai e no Senhor Jesus Cristo. A igreja tem dois endereços, um geográfico e outro espiritual. Ela é a igreja dos tessalonicenses, mas ela está em Deus. Ao mesmo tempo em que moramos na terra, estamos escondidos em Deus e assentados com Cristo nas regiões celestes.

Em terceiro lugar, *as bênçãos rogadas por intermédio da carta* (1.2). Mais uma vez, como na primeira carta, o apóstolo Paulo roga a Deus a graça e a paz para a igreja.

Porém, nesta carta ele menciona de onde procedem essas duas bênçãos: "[...] da parte de Deus Pai e do Senhor Jesus Cristo". A graça é o dom imerecido de Deus. Mesmo merecendo o castigo, Deus nos dá a salvação; a paz é o resultado da graça. Não há paz sem a graça. A graça é a fonte; a paz é o rio caudaloso que emana dessa fonte.

Este capítulo encerra algumas sublimes verdades que vamos aqui destacar.

**A gratidão que se expressa em elogios (1.3,4)**

Paulo está praticando o que ele mesmo havia ensinado (1Ts 5.18). Ele estava continuamente agradecendo a Deus pela vida da igreja (1Ts 1.2; 2.13; 3.9; 1.3; 2.13). Destacamos dois pontos na maneira de Paulo agradecer a Deus pela igreja e elogiar a igreja:

1. O alcance do elogio (1.3,4). O elogio de Paulo tem dois endereçamentos:

a. O elogio vertical (1.3). Paulo sente-se no dever de agradecer continuamente a Deus pela vida dos tessalonicenses. Ele glorifica a Deus pela vida abundante da igreja. Em vez de perder sua alegria pela atitude rebelde de alguns, ele enche sua alma de alegria pela vida superlativa dos demais que expressam entusiasmo na fé cristã a despeito das provas.

b. O elogio horizontal (1.4). Paulo elogia os crentes no aspecto vertical, agradecendo a Deus por eles e, agora, ele elogia os crentes no aspecto horizontal, falando bem da igreja entre outras igrejas. Paulo era pródigo nos elogios. Ele não se sentia constrangido ao honrar as pessoas e tecer a elas sinceros elogios. Paulo fala com Deus e com os homens acerca de sua gratidão pela vida dos tessalonicenses.

2. O conteúdo do elogio (1.3,4). O elogio de Paulo aos tessalonicenses foi focado em três áreas fundamentais: fé,

amor e paciência. Na primeira carta, ele já havia destacado a trilogia: fé, amor e esperança como o sólido fundamento da maturidade cristã (1Ts 1.3). Agora, nesta carta, ele volta a destacar os dois primeiros elementos e dá outra nuança ao terceiro. Vamos destacar essas três áreas mencionadas por Paulo:

– Uma fé que cresce esplendidamente (1.3). As perseguições e tribulações em vez de destruir a fé dos tessalonicenses a fortaleceram. Uma fé que não é testada não pode ser forte. Warren Wiersbe diz que a fé é como os músculos, ela precisa ser exercitada para se fortalecer.[243] Uma vida fácil pode tornar-se uma vida superficial, assim como uma vida sem provas produz uma fé rasa. A galeria da fé em Hebreus 11 é formada de pessoas que enfrentaram duríssimas provas. Assim como é impossível uma pessoa aprender a nadar sem entrar na água, também é impossível ter uma fé vigorosa sem passar pelos rios caudalosos das provas.

Na primeira carta, Paulo ora para que a fé dos tessalonicenses seja aperfeiçoada (1Ts 3.10). Agora, ele agradece por isso (1.3). A fé dos tessalonicenses estava crescendo além daquilo que Paulo poderia esperar. Eles estavam transcendendo!

– Um amor mútuo em pleno crescimento (1.3). Novamente isto é uma resposta à oração de Paulo (1Ts 3.12; 4.9,10). O sofrimento em vez de tornar os crentes de Tessalônica amargos e indiferentes, fê-los ainda mais abundantes no amor recíproco. O amor é a marca do discípulo verdadeiro (Jo 13.34,35). O amor é o maior dos mandamentos. Ele é a síntese da Lei. Ele é a apologética final. Sem amor não há cristianismo autêntico. O mundo vai nos conhecer como discípulos de Cristo pelo amor.

Vivemos numa sociedade doente, solitária. Alguém afirmou algures que "uma cidade é um lugar onde muitas pessoas estão solitárias juntas". Uma pessoa pode estar sofrendo profundamente no apartamento ao seu lado sem você saber. É pelo amor que a igreja vai impactar o mundo. É pelo amor que o mundo verá Jesus em nós e por meio de nós.

– Uma paciência triunfadora no sofrimento (1.4). Howard Marshall afirma corretamente que Paulo não passa aqui a falar da esperança, conforme fez em 1 Tessalonicenses 1.3, mas o pensamento da perseverança que surge da esperança fica sendo o objeto de menção especial no versículo seguinte e marca o tema principal da seção.[244] Diz o mesmo escritor que é falso, portanto, asseverar que a dimensão da esperança desapareceu completamente da epístola.[245] William Barclay observa que a palavra grega *hupomone*, que Paulo usa para "constância", é uma magnífica palavra. Ela significa uma constância viril na prova. Descreve o espírito que não somente suporta pacientemente as circunstâncias em que se encontra, mas também que as domina e as aproveita para fortalecer sua própria têmpera. Aceita os embates da vida, mas ao aceitá-los, os transforma em umbrais de novas conquistas.[246] Fritz Rienecker nessa mesma trilha de pensamento acrescenta que *hupomone* significa suportar circunstâncias difíceis. É o espírito que pode suportar as coisas, não só com resignação, mas com uma esperança alegre. Não é a paciência que espera tristemente pelo fim, mas aquela que espera radiantemente pela aurora.[247]

As perseguições e tribulações que marcaram o começo da igreja em Tessalônica não haviam cessado. As palavras gregas *diogmos e thlipsis* são traduzidas por "perseguição" e "tribulação" respectivamente. A primeira palavra descreve as perseguições exteriores causadas pelos inimigos do evangelho e a segunda é um termo mais genérico e denota tribulação de qualquer tipo.[248] Ronaldo Lidório, estudioso da língua grega, afirma que *diogmos* era o desenvolvimento de um programa sistemático para a opressão de um povo. Essa palavra tinha a conotação de opressão física, com as prisões, os martírios e os espancamentos.[249] A igreja floresceu vigorosamente no meio da tempestade. Os crentes sofreram ataques e pressões sem perder a alegria. Um hino cantado em Gana expressa bem essa experiência:

... Não vivemos para celebrar o sofrimento;

Nem também para chorar;

Mas quando ele vier choraremos...

No sofrimento há Deus;

Não cremos na dor sem Deus.

Não cremos na dor sem Deus.[250]

Os tessalonicenses cresceram por meio do sofrimento e ajudaram por intermédio do seu testemunho outros também a crescerem. Deus nos encoraja para encorajarmos outros (2Co 1.4,5). Nós não somos como o mar Morto, mas como o mar da Galiléia. Não vivemos apenas para nós mesmos, mas, sobretudo, para abençoarmos os outros.

A tribulação, um cálice que o povo de Deus precisa beber até o último dia (1.5,6)

Muitos crentes sinceros não crêem que os salvos passarão pela grande tribulação. Eles entendem que antes desse tempo terrível, de perseguição implacável do diabo e seus agentes contra a igreja chegar, a Noiva do Cordeiro já terá sido arrebatada da terra.

Os dispensacionalistas pregam que haverá um arrebatamento secreto e uma segunda vinda visível e que no intervalo entre esses dois eventos é que se dará a grande tribulação. Paulo, porém, neste texto (1.5,6), mostra que a Igreja não será poupada da tribulação, mas viverá na tribulação. A Igreja será arrancada do fragor da grande tribulação e não antes da grande tribulação.

Concordo com Howard Marshall quando diz que o alvo da fé é a entrada no reino de Deus. É em prol dessa esperança que os leitores estão sofrendo, não no sentido de que suportam a fim de ganhar a entrada, mas, sim, que seus sofrimentos estão vinculados com o reino ou estão nos interesses dele.[251] O apóstolo Paulo é categórico ao afirmar que importa que por meio de muitas tribulações entremos no reino de Deus (At 14.22).

## A segunda vinda de Cristo, a vitória triunfante de Cristo e da Sua Igreja (1.5-10)

J. P. Gloag diz que o Senhor Jesus virá em pessoa, em poder, em glória e em justiça.[252] Algumas verdades devem ser destacadas sobre a segunda vinda de Cristo no texto em apreço.

1. A segunda vinda de Cristo será pessoal e visível (1.7). A palavra grega *apocalipses,* "se manifestar", usada por Paulo significa descobrir, tirar o véu, revelar-se claramente. A palavra transmite a idéia do desvendamento daquilo que está oculto no presente, isto é, da manifestação do Senhor Jesus que no presente está oculto da vista, no céu.[253] A vinda de Cristo, portanto, será um evento retumbante, visível, audível, pessoal, glorioso, poderoso, e estupendo. A Bíblia diz que todo o olho o verá, até mesmo aqueles que o traspassaram (Ap 1.7).

2. A segunda vinda de Cristo revelará Sua absoluta autoridade (1.7). O Senhor Jesus vai se manifestar do céu

(1.7). Isso fala não apenas de Sua procedência e origem, mas, também, da Sua absoluta autoridade. Ele vem da morada de Deus com a autoridade de Deus para executar juízo e recompensa.[254] Ele vem montado em Seu cavalo branco (Ap 19.11), acompanhado pelos exércitos do céu (Ap 19.14), com Seu manto tinto de sangue (Ap 19.13) e com uma espada afiada em Sua boca (Ap 19.15). Ele vem do céu para executar juízo contra Seus inimigos. Ele matará o anticristo com o sopro da Sua boca (2.8). Os ímpios, desesperados, tentarão fugir da Sua presença, mas não escaparão da ira do Cordeiro (Ap 6.15-17). Jesus, então, se assentará no Seu trono de glória e julgará as nações (Mt 25.31-46).

3. A segunda vinda de Cristo será acompanhada de um séqüito poderoso (1.7). Cristo virá em poder. Ele virá acompanhado dos poderosos anjos que executam as Suas ordens (Mt 13.41,42; 24.29,30; 25.31; Jd 15; Ap 14.19). O apóstolo Paulo escreve: "[...] quando do céu se manifestar o Senhor Jesus com os anjos do seu poder" (1.7b). Os anjos são a escolta e os agentes poderosos de Cristo, que recolherão dos quatro cantos da terra os ímpios, lançando-os na fornalha como palha e recolherão os salvos como trigo, depositando-os no celeiro de Deus.

4. A segunda vinda de Cristo será marcada por um esplendor aterrador (1.8). Cristo virá em glória. Ele não virá mais em Sua humildade, mas em Seu esplendor. Ele não descerá mais como Advogado, mas como Juiz. Ele não virá mais para salvar, mas para julgar. Ele não virá montado num jumentinho, mas cavalgando as nuvens. O apóstolo Paulo declara: "[...] quando do céu se manifestar o Senhor Jesus [...] em chama de fogo" (1.7,8). William Hendriksen compreende que esta expressão "em chamas de fogo" indica

a santidade do Senhor manifestada em juízo.²⁵⁵ O fogo é um símbolo da presença gloriosa de Deus (Êx 3.2) e também do terrível castigo que Deus impõe aos ímpios (Lc 16.26; Hb 12.27). De outro lado, o fogo é o elemento pelo qual o mundo atual deve perecer (2Pe 3.7-12).

**O juízo, o tempo da recompensa e da retribuição (1.5-10)**

Os pré-milenaristas dispensacionalistas geralmente falam em três diferentes juízos: um juízo na *primeira* segunda vinda de Cristo (a *Parousia*), outro em sua *segunda* vinda, sete anos mais tarde (a Revelação), e um juízo diante do grande trono branco, mil anos mais tarde (após o Milênio). O primeiro destes três, conforme entendem, afeta os santos vivos; o segundo se refere às nações (acerca do trato que deram aos judeus); e o último, aos ímpios. A Escritura, todavia, sempre se refere ao Juízo Final, como um único evento (1.7-10; Jo 5.28,29; At 17.31; 2Pe 3.7; Ap 20.11-15).²⁵⁶

O apóstolo Paulo alista seis gloriosas verdades acerca do julgamento de Deus: a) O propósito do julgamento: aplicar a justiça (1.6); b) o executor do julgamento: Jesus Cristo (1.7,8; Jo 5.22; Mt 16.27; At 17.31); c) o povo a ser julgado: os santos e aqueles que não conhecem a Deus e desobedecem ao evangelho (1.5-8); d) A penalidade do julgamento dos ímpios: eterna destruição e banimento para sempre da face do Senhor (1.9); e) o tempo do julgamento: a segunda vinda de Cristo (1.10); f) o escape do julgamento: os santos são dignos e serão glorificados em Cristo (1.11,12).

O juízo será um dia de glória para os salvos e de pavor para os ímpios. A justiça de Deus se manifesta num sentido duplo: de um lado, ela é remunerativa para os salvos (1.5,7,10) e de outro lado, ela é retributiva para os ímpios (1.6,8,9).

Vamos observar esses dois lados da justiça divina:

1. No dia do juízo a justiça divina se manifestará remunerativa (1.5,7,10). Os salvos passarão pelo juízo para receberem recompensas e galardões. Destacamos três recompensas que os salvos receberão no dia do juízo:

a. Eles serão considerados dignos do reino de Deus (1.5). A Igreja perseguida será recompensada na segunda vinda de Cristo e no dia do juízo. Os salvos, que sofrem por causa do reino de Deus, serão considerados dignos dele. William Hendriksen afirma que Deus é não só Juiz, mas igualmente Juiz justo, que recompensa a fé e a obediência, e que sempre mantém Sua promessa. Aqueles que perseguem o povo de Deus sofrerão punição, e os que sofrem as perseguições por causa de sua fé receberão galardão.[257]

b. Eles terão alívio da tribulação (1.7). A Igreja não será poupada da tribulação, mas emergirá vitoriosa do meio dela. Quando o Senhor Jesus se manifestar em glória em Sua vinda de poder, o jugo do nosso sofrimento será despedaçado. Nossas lágrimas serão enxugadas, nossa dor será extinta e o luto jamais nos alcançará (Ap 21.4). O termo "alívio" significa o relaxamento da tensão e é usado por Paulo com referência ao alívio do sofrimento (2Co 2.13; 7.5; 8.13).[258] Nessa mesma linha, Warren Wiersbe observa que a palavra "alívio" significa "descanso, desopressão" e é o oposto de "tribulação". Descreve o ato de soltar a corda do arco ao atirar uma flecha. Nesta vida, o povo de Deus vive sob pressão (2Co 1.8) e sob o peso das provações e perseguições. Mas quando virmos Cristo em Sua glória seremos aliviados.[259]

c. Eles resplandecerão a glória de Cristo (1.10a). A glória de Cristo estará sobre os santos e será refletida na Igreja. Uma vida de fé conduz a uma vida de glória. Cristo será glorificado e admirado nos santos. William Hendriksen interpreta esse ponto corretamente quando escreve:

> Na sua gloriosa vinda Jesus será glorificado *em* (não meramente *entre*) eles; ou seja, eles refletirão a luz dele, seus atributos, como, em princípio, estão fazendo o mesmo agora (2Co 3.18). Todo vestígio de pecado será então banido de suas almas. Refletirão sua imagem e andarão sob a luz de seu rosto (Sl 89.15-17). Nisso ele se regozijará. Também os anjos, ao ver isso, se regozijarão. E nisso cada um dos redimidos, ao contemplar o reflexo da imagem de Cristo em todos os demais redimidos, se regozijarão. Além disso, não apenas Cristo se regozijará ante o reflexo de sua própria imagem neles, como também se regozijará no próprio regozijo deles! E o ato de regozijar-se na alegria deles refletirá glória sobre ele mesmo! Assim, seja qual for o sentido que se adote, ele será glorificado em seus santos.[260]

2. No dia do juízo a justiça divina se manifestará retributiva (1.6,8,9). O ímpio nem sempre recebe seu pagamento neste mundo (Sl 73.18-20; Jr 12.1). Deus nem sempre acerta as contas com o pecador no ato do seu pecado.

Destacamos quatro punições que os ímpios sofrerão no dia do juízo:

– Eles sofrerão uma tribulação sem alívio (1.6). A tribulação que os ímpios impõem sobre os salvos terá um alívio eterno; a tribulação que os ímpios sofrerão como justa retribuição de Deus será um tormento eterno. Para o ímpio não há paz (Is 57.21). Os ímpios serão atormentados por uma tribulação sem pausa. Enquanto durar a eternidade, durará a tribulação do ímpio.

– Eles sofrerão a justa vingança divina (1.8). A Bíblia diz que de Deus não se zomba, pois o que o homem semear, isso ele ceifará (Gl 6.7). O dia que o cálice da ira de Deus transbordar, o ímpio sofrerá a justa vingança de Deus. Ele é o vingador (1Ts 4.6). A Ele pertence a vingança (Rm 12.19). Warren Wiersbe diz que quando Deus retribuir, pagará em espécie ao ímpio. Faraó tentou afogar os bebês hebreus do sexo masculino, e o próprio exército egípcio morreu afogado no mar Vermelho. Hamã tramou o extermínio dos judeus, e ele e seus filhos foram exterminados. Os conselheiros do rei Dario o obrigaram a prender Daniel e jogá-lo na cova dos leões; posteriormente, eles próprios foram atirados aos leões. Os líderes judeus incrédulos crucificaram a Cristo a fim de salvar a nação (Jo 11.49-53); alguns anos depois, viram sua cidade ser destruída, e sua nação, dispersa.[261]

O Senhor Jesus se manifestará com os anjos do Seu poder, em chamas de fogo, contra os que não conhecem a Deus e contra os que não obedecem ao evangelho de nosso Senhor Jesus. Quem são esses dois grupos? Alguns estudiosos como Howard Marshall entendem que eles se referem aos gentios e aos judeus, aqueles que não conhecem e os que embora tenham conhecimento, mesmo assim ainda desobedecem ao evangelho.[262] Concordo com William Hendriksen quando disse que essas duas expressões retratam o mesmo grupo.[263] Os que não conhecem a Deus não são aqui as pessoas ignorantes e desinformadas, mas aqueles que desprezam o seu conhecimento enquanto os que desobedecem são os que afrontosamente se insurgem contra Deus. Howard Marshall está correto quando afirma que a ignorância da qual escreve Paulo é a ignorância deliberada daqueles que "tendo conhecimento de Deus não O glorificaram como Deus, nem Lhe deram graças", pessoas que "mudaram a verdade de Deus em mentira, adorando e servindo a criatura, em lugar do criador", e tudo isto a despeito de que "o que de Deus se pode conhecer é manifesto entre eles, porque Deus lhes manifestou" (Rm 1.18-25).²⁶⁴ William Hendriksen ainda esclarece esse ponto como segue:

> O pecado dos perseguidores não era a ignorância do evangelho, e, sim, desobediência a ele. É verdade que os ímpios são aqui descritos como "aqueles que não conhecem a Deus". Significa que não o conhecem como seu próprio Deus. Não invocam o seu Nome. Aliás, o odeiam; por conseguinte, odeiam igualmente o Seu evangelho.²⁶⁵

– Eles sofrerão uma penalidade de eterna destruição (1.9). Enganam-se aqueles que pensam que o apóstolo Paulo esteja falando aqui de aniquilação. Paulo está falando de uma destruição eterna e não de aniquilamento. Jesus falou também de eterna destruição (Mt 5.22; 13.41,42; 18.8; 25.41,46; Mc 9.43; Hb 6.2; Jd 7). Ele ainda enfatizou a realidade do castigo eterno (Mt 5.29,30; 12.32; Lc 16.23-25). O próprio fato de esta "destruição" ser "eterna" mostra que ela não é equivalente a "aniquilação" ou "cessação de existência". Ao contrário disso, ela indica uma existência "longe da face do Senhor e da glória de Seu poder".²⁶⁶ A palavra grega *olethros*, "destruição", não significa aniquilação, mas a perda de todas as coisas que dão valor à existência.²⁶⁷

– Eles serão banidos para sempre da face do Senhor e da glória do Seu poder (1.9). Se conhecer a Deus e ter comunhão com Cristo são a própria essência da vida eterna (Jo 17.3), ser banido da presença Dele é a essência da morte eterna. William Hendriksen deixa esse ponto claro, quando diz que enquanto a "vida eterna" se manifesta na bem-aventurada contemplação da face do Senhor, na doce vivência com Ele (Ap 22.4; Sl 17.15; Mt 5.8), na mais venturosa comunhão (1Ts 4.17), a "destruição eterna" – que é produto da vingança de Deus – é precisamente o oposto.²⁶⁸

## A intercessão, instrumento de encorajamento dos santos (1.11,12)

Depois de consolar os crentes, elogiando seu crescimento espiritual e falar bem deles entre as outras igrejas, Paulo os conforta falando das gloriosas recompensas que terão na segunda vinda de Cristo e no dia do juízo. Agora, Paulo termina este capítulo orando pelos crentes. Antevendo o grande tribunal de Cristo e Seu glorioso galardão, Paulo jamais deixa passar sequer um dia sem orar pelos leitores de sua carta, para que a obra neles iniciada seja, pela graça de Deus, plenamente realizada.[269] A esperança do amanhã deve nos estimular a sermos fiéis hoje, afirma Warren Wiersbe.[270]

Dois pontos merecem destaque nesta oração de Paulo: o que o apóstolo pede e por que ele pede:

1. Paulo ora pela dignidade dos crentes (1.11). A igreja estava vivendo no epicentro de uma grande tribulação. Paulo, então, intercede por ela para que os crentes fossem dignos da sua vocação e cumprissem o propósito para o qual haviam sido salvos. É evidente que se no dia do juízo os tessalonicenses serão considerados dignos de entrar no reino (1.5), então, devem aqui e agora se conduzir em harmonia com a vocação do evangelho, ensina William Hendriksen.[271]

2. Paulo ora pelo testemunho dos crentes (1.12). A súplica de Paulo é que Cristo fosse glorificado nos Seus santos. Graça e glória caminham juntas. Assim como recebemos a graça de Cristo, também receberemos Sua glória. Enquanto aguardamos do céu o nosso Senhor, o nome de Jesus precisa ser glorificado em nós. Warren Wiersbe acrescenta que o mais impressionante é que o cristão que glorifica a Cristo será glorificado em Cristo.[272]

Concluímos com a esclarecedora palavra de William Barclay:

> Aqui estamos diante de uma verdade que nos tira o fôlego: A verdade de que nossa glória é Cristo e que a glória de Cristo somos nós. A glória de Cristo está naqueles que por Ele aprenderam a sofrer, a conquistar e, brilhar como a luz nas trevas; a irradiar bondade e amor. A glória de um mestre está nos discípulos que forma; a dos pais nos filhos que gera e ensina a viver; e a nós cabe o tremendo privilégio e a gloriosa responsabilidade de Cristo ser glorificado em nós e nós Nele.[273]

Notas do capítulo 1

[242] MARSHALL, I. Howard. *I e II Tessalonicenses: Introdução e comentário.* 1984: p. 201.
[243] WIERSBE, Warren W. *Comentário bíblico expositivo.* Vol. 6. 2006: p. 249.
[244] MARSHALL, I. Howard. *I e II Tessalonicenses: Introdução e comentário.* 1984: p. 204.
[245] MARSHALL, I. Howard. *I e II Tessalonicenses: Introdução e comentário.* 1984: p. 205.
[246] BARCLAY, William. *Filipenses, Colosenses, I y II Tesalonicenses.* 1973: p. 218.
[247] RIENECKER, Fritz e ROGERS, Cleon. *Chave lingüística do Novo Testamento grego.* 1985: p. 448.
[248] RIENECKER, Fritz e ROGERS, Cleon. *Chave lingüística do Novo Testamento grego.* 1985: p. 448.
[249] LIDÓRIO, Ronaldo de Almeida. *Com a mão no arado.* Editora Betânia. Belo Horizonte, MG. 2007: p. 114, 115.
[250] LIDÓRIO, Ronaldo de Almeida. *Com a mão no arado.* 2007: p. 116.
[251] MARSHALL, I. Howard. *I e II Tessalonicenses: Introdução e comentário.* 1984: p. 207.
[252] GLOAG, J. P. *The pulpit commentary.* Second Thessalonians. Vol. 21. 1978: p. 5.
[253] MARSHALL, I. Howard. *I e II Tessalonicenses: Introdução e comentário.* 1984: p. 209.
[254] MARSHALL, I. Howard. *I e II Tessalonicenses: Introdução e comentário.* 1984: p. 209.
[255] HENDRIKSEN, William. *1 e 2Tessalonicenses.* 1998: p. 234.
[256] HENDRIKSEN, William. *A vida futura.* 1988: p. 207,208.
[257] HENDRIKSEN, William. *1 e 2Tessalonicenses.* 1998: p. 231,232.
[258] MARSHALL, I. Howard. *I e II Tessalonicenses: Introdução e comentário.* 1984: p. 208.
[259] WIERSBE, Warren W. *Comentário bíblico expositivo.* Vol. 6. 2006: p. 252,253.
[260] HENDRIKSEN, William. *1 e 2Tessalonicenses.* 1998: p. 238.
[261] WIERSBE, Warren W. *Comentário bíblico expositivo.* Vol. 6. 2006: p. 252.
[262] MARSHALL, I. Howard. *I e II Tessalonicenses: Introdução e comentário.* 1984: p. 211.
[263] HENDRIKSEN, William. *1 e 2Tessalonicenses.* 1998: p. 236.

[264] MARSHALL, I. Howard. *I e II Tessalonicenses: Introdução e comentário.* 1984: p. 212.
[265] HENDRIKSEN, William. *1 e 2Tessalonicenses.* 1998: p. 236.
[266] HENDRIKSEN, William. *1 e 2Tessalonicenses.* 1998: p. 237.
[267] RIENECKER, Fritz e ROGERS, Cleon. *Chave lingüística do Novo Testamento grego.* 1985: p. 449.
[268] HENDRIKSEN, William. *1 e 2Tessalonicenses.* 1998: p. 237.
[269] HENDRIKSEN, William. *1 e 2Tessalonicenses.* 1998: p. 244.
[270] WIERSBE, Warren W. *Comentário bíblico expositivo.* Vol. 6. 2006: p. 253.
[271] HENDRIKSEN, William. *1 e 2Tessalonicenses.* 1998: p. 240.
[272] WIERSBE, Warren W. *Comentário bíblico expositivo.* Vol. 6. 2006: p. 254.
[273] BARCLAY, William. *Filipenses, Colosenses, I y II Tessalonicenses.* 1973: p. 219.

**Capítulo 2**

# O anticristo, o inimigo consumado de Deus e da Igreja
(2Ts 2.1-12)

A IGREJA DE TESSALÔNICA cometeu dois sérios equívocos acerca da doutrina da segunda vinda de Cristo. Ambos perigosos e de conseqüências danosas. Quais foram esses equívocos?

1. O equívoco de marcar datas quanto à segunda vinda de Cristo (2.1,2). Alguns crentes de Tessalônica estavam sendo enredados pelo engano, pensando que a vinda de Cristo já havia acontecido. Eles fixaram uma data e na mente deles essa data já havia chegado.

Paulo já havia ensinado a igreja sobre a segunda vinda (1Ts 2.19) e a necessidade de estar preparado para ela (1Ts 5.1-11), mas eles confundiram a vinda súbita com uma vinda imediata.[274] O problema dos tessalonicenses não era a questão da demora da *parousia*, mas, sim, sua crença de que estava esmagadoramente iminente.²⁷⁵

É bem provável que após a leitura da primeira carta de Paulo à igreja, alguns intérpretes fantasiosos tivessem chegado a essa equivocada interpretação e perturbado a igreja com suas conclusões. O verbo "perturbar" sugere ser agitado num vento tempestuoso, e é usado metaforicamente para ficar tão perturbado a ponto de perder sua compostura e bom senso normais. É ficar transtornado pela notícia.²⁷⁶ O erro doutrinário traz perturbação em vez de edificação e consolo. Sempre que alguém tenta administrar essa agenda que pertence à economia da soberania de Deus cai em descrédito e colhe decepção. Somente Deus conhece esse Dia.

2. O equívoco de não observar os sinais da segunda vinda de Cristo (2.3). Se por um lado não podemos marcar datas acerca do dia da segunda vinda de Cristo, por outro, não podemos fechar os olhos aos seus sinais. O apóstolo pontua para a igreja que a segunda vinda de Cristo não acontecerá sem que primeiro venha a apostasia e seja manifestado o homem da iniqüidade.

Dois sinais precederão a segunda vinda de Cristo:

a. A apostasia (2.3). A palavra grega apostasia significa queda, caída, rebelião, revolta.²⁷⁷ Trata-se de uma apostasia final que ocorrerá imediatamente antes da *parousia*. Essa apostasia será uma intensificação e culminação de uma rebelião que já começou, pois o mistério da iniqüidade já opera no mundo.²⁷⁸ O fato de que o Dia do Senhor será precedido pela apostasia também já fora claramente predito pelo Senhor no Seu sermão profético (Mt 24.10-13).

O que é apostasia? Como podemos entendê-la? Concordo com a descrição de Howard Marshall:

> Apostasia é uma palavra utilizada no grego secular para uma revolta política ou militar e era usada na Septuaginta para a rebeldia contra Deus (Js 22.22; 2Cr 22.19; 33.10; Jr 2.19). Em especial, referia-se ao desvio da Lei. Nos últimos dias a oposição dos homens a Deus, bem como a imoralidade e a iniqüidade crescerão grandemente (Mt 24.12; 2Tm 3.1-9). Estas coisas estão associadas com um aumento de guerras entre as nações (Mc 13.7,8) e com a atividade de falsos profetas e mestres (Mc 13.22; 1Tm 4.1-3; 2Tm 4,3,4).[279]

William Hendriksen alerta para o fato de que a apostasia futura de modo algum ensina que os que são genuínos filhos de Deus "cairão da graça". Tal queda não existe (2.13,14). Significa, porém, que a fé dos pais – fé a qual os filhos aderem por algum tempo de uma maneira meramente formal – será afinal e completamente abandonada por muitos dos filhos.[280] O mesmo escritor ainda diz: "O uso do termo *apostasia* aqui em 2Tessalonicenses 2.3, sem um adjetivo adjunto coloca em realce o fato de que, de modo geral, a Igreja visível abandonará a fé genuína".[281]

b. O aparecimento do homem da iniqüidade (2.3). O movimento de apostasia chegará ao seu apogeu quando seu líder maior, o arquioponente de Deus, o homem da iniqüidade, for revelado. Esse homem da iniqüidade, também chamado de "o filho da perdição" e "o iníquo" é uma designação paulina do anticristo. Assim como Jesus terá Sua revelação, *apocalipse,* também o anticristo terá sua manifestação. Isso enfatiza o caráter "sobre-humano" da pessoa mencionada, pois a coloca como contraparte da revelação do próprio Senhor Jesus Cristo.[282]

O texto que estamos considerando foca sua atenção na pessoa, na atividade e na derrota do anticristo. William Barclay entende que estamos diante de uma das passagens mais difíceis de todo o Novo Testamento.²⁸³ Vamos, agora, examinar mais detidamente esse tema.

### Sua identidade revelada (2.3)

A palavra *anticristo* significa um cristo substituto ou um cristo rival.²⁸⁴ O prefixo grego *anti* pode significar duas coisas: "contrário a" e "no lugar de". Antonio Hoekema diz, portanto, que a palavra "anticristo" significa um cristo substituto ou um cristo rival. Assim, o anticristo é ao mesmo tempo um cristo rival e um adversário de Cristo.²⁸⁵ Satanás não apenas se opõe a Cristo, mas também deseja ser adorado e obedecido no lugar de Cristo. Satanás sempre desejou ser adorado e servido como Deus (Is 14.14; Lc 4.5-8). Um dia produzirá sua obra-prima, o anticristo, que levará o mundo a adorá-lo e acreditar em suas mentiras.²⁸⁶

No livro de Daniel o anticristo é representado inicialmente não como uma pessoa, mas como quatro reinos (leão, urso, leopardo e outro animal terrível), numa descrição clara dos impérios da Babilônia, Medo-persa, Grego e Romano (Dn 7.1-6,17,18). Outro símbolo do anticristo no livro de Daniel é Antíoco Epifânio, que profanou o templo, quando o consagrou ao deus grego Zeus e mais tarde sacrificou porcos em seu altar (Dn 7.21,25).

No ensino de Jesus, o anticristo é visto como o imperador romano Tito, que no ano 70 d.C. destruiu a cidade de Jerusalém e o templo (Mt 24.15-20), bem como um personagem escatológico (Mt 24.21,22). A profecia bíblica vai se cumprindo historicamente e avança para a sua consumação final (Mt 24.15-28).

Nas cartas de João o termo *anticristo* é empregado em um sentido impessoal (1Jo 4.2,3). Ele se referiu também ao anticristo de forma pessoal. Mas João vê o anticristo como uma pessoa que já está presente, ou seja, como alguém que representa um grupo de pessoas. Assim, o anticristo é um termo utilizado para descobrir uma quantidade de gente que sustenta uma heresia fatal (1Jo 2.22; 2Jo 7). João fala ainda tanto do anticristo que virá quanto do anticristo que já está presente. Assim, João esperava um anticristo que viria no tempo do fim. Os anticristos são precursores do anticristo (1Jo 2.28). Para João, o anticristo sempre esteve presente nos seus precursores, mas ele se levantará no tempo do fim como expressão máxima da oposição a Cristo e Sua Igreja.

Na teologia do apóstolo Paulo, o anticristo é visto como o homem do pecado (2.3). Ele surgirá da grande apostasia (2.3); será uma pessoa (2.3), será objeto de adoração (2.4), usará falsos milagres (2.9), só pode ser revelado depois que aquilo e aquele que o detém for removido (2.6,7) e será totalmente derrotado por Cristo (2.8).

### Seu caráter descrito (2.3,8)

Paulo não usa o termo *anticristo* nesta carta. Essa designação é utilizada no Novo Testamento apenas por João (1Jo 2.18,22; 4.3; 2Jo 7). Mas esse é o nome pelo qual identificamos o último grande ditador mundial que Paulo chama de "homem da iniquidade", "filho da perdição" (2.3), aquele que "[...] se opõe a Deus" (2.4), aquele que se exalta acima de todos os demais (2.4), que se proclama Deus (2.4), também chamado de "iníquo" (2.8).

Vamos examinar três aspectos do caráter do anticristo:

1. Ele é o homem da iniquidade (2.3). Vale pontuar que o anticristo escatológico não é um sistema nem um grupo, mas um homem. Toda a descrição apresentada por Paulo é de caráter pessoal. O homem da iniquidade "se opõe",

"se exalta", "se assenta no templo de Deus", "proclama a si mesmo como Deus", e será "morto".[287] À luz de 2Tessalonicenses 2.3,4,8 e 9 podemos afirmar com sólida convicção que Paulo está fazendo uma predição exata acerca de uma pessoa certa e específica que se manifestará e que receberá sua condenação quando Cristo voltar.

Alguns eminentes teólogos como Benjamim Warfield defenderam a tese de que o homem da iniqüidade deveria ser identificado como a linhagem de imperadores romanos, como Calígula, Nero, Vespasiano, Tito e Domiciano.[288] John Wyclif, Martinho Lutero e muitos outros líderes da Reforma defenderam a tese de que o papa era o anticristo. A Confissão de Fé de Westminster é categórica neste ponto:

> Não há outro Cabeça da Igreja senão o Senhor Jesus Cristo. Em sentido algum pode ser o papa de Roma o cabeça dela, senão que ele é aquele anticristo, aquele homem do pecado e filho da perdição que se exaltava na Igreja contra Cristo e contra tudo o que chama Deus (XXV.vi).

William Hendriksen, destacado escritor reformado, entretanto, discorda dessa interpretação, dizendo que o papa pode ser chamado "um anticristo", um entre muitos dos precursores do anticristo final. Em tal pessoa o mistério da iniqüidade já está em operação. Chamar, porém, o papa de *o* anticristo é algo que contraria toda a sã exegese.[289]

O anticristo é o homem sem lei que viverá e agirá na absoluta ilegalidade. Ele será um transgressor consumado da lei de Deus e dos homens. Será um monstro absolutista. A palavra grega *anomia*, iniqüidade, descreve a condição de quem vive de modo contrário à lei.[290] Ele é a própria personificação da rebelião contra as ordenanças de Deus.[291] O homem da iniqüidade realizará os sonhos de Satanás sobre a terra, liderando a mais ampla e mais profunda rebelião contra Deus em toda a História.

William Hendriksen coloca esse fato com clareza:

> É importante observar, que assim como a apostasia não será meramente passiva, mas ativa (não meramente negação de Deus, mas também uma rebelião contra Deus e Seu Cristo), assim também o homem da iniqüidade será um transgressor ativo e agressivo. Ele não leva o título de "homem sem lei" por jamais ter ouvido a lei de Deus, e, sim, porque publicamente a despreza![292]

2. Ele é o filho da perdição (2.3). Não apenas seu caráter é sumamente corrompido, mas seu destino é claramente definido. Ele procede do maligno e se destina inexoravelmente à perdição. Ele é um ser completamente perdido e designado para a perdição. Ele será lançado no lago de fogo (Ap 19.20; 20.10). A palavra grega *apoleia,* "perdição", traz a idéia de que o anticristo está destinado a ser destruído.[293]

3. Ele é o iníquo (2.8). A palavra grega *anomos,* traduzida por "iníquo", significa ilegal, iníquo, aquele que vive ao arrepio da lei. O anticristo será um homem corrompido em grau superlativo. Ele será inspirado pelo poder de Satanás e terá um caráter tão perverso quanto o daquele que o inspira.

Podemos afirmar, acompanhado por uma nuvem de testemunhas, de que o conceito de Paulo sobre o anticristo procede da profecia de Daniel. Observemos os seguintes pontos: 1) O homem da iniqüidade (2.3 – Dn 7.25; 8.25); 2) O filho da perdição (2.3 – Dn 8.26); 3) Aquele que se opõe (2.4 – Dn 7.25); 4) E que se exalta contra tudo [que é] chamado Deus ou é adorado (2.4 – Dn 7.8,20,25; 8.4,10,11); 5) De modo que se assenta no santuário de Deus, proclamando a si mesmo como Deus (2.4 – Dn 8.9-14).

## Sua oposição e adoração definidas (2.4)

Dois fatos precisam ser aqui destacados:

1. O anticristo se oporá a Deus abertamente e perseguirá implacavelmente a Igreja (2.4). O apóstolo Paulo diz que o anticristo "[...] se opõe e se levanta contra tudo que se chama Deus [...] ostentando-se como se fosse o próprio Deus" (2.4). O homem do pecado é o adversário de Deus, da lei de Deus, e do povo de Deus. A palavra grega *antikeimenos*, traduzida por "opor-se", indica uma oposição constante e habitual ou como um estilo de vida enquanto a palavra grega *hiperairomenos*, traduzida por "se levanta", significa exaltar-se sobremaneira ou exaltar-se fora de proporções.[294] O anticristo será uma espécie de encarnação do mal. Esse mal humanizado será a antítese de Deus, diz William Barclay.[295] O anticristo será um opositor consumado de Deus e da Igreja (Dn 7.25; 11.36; 1Jo 2.22; Ap 13.6). Ele será uma pessoa totalmente maligna em seu ser e em suas atitudes. Ele não apenas se oporá, mas também se levantará contra tudo o que é de Deus ou objeto de culto. O profeta Daniel diz que ele "Proferirá palavras contra o Altíssimo" (Dn 7.25) e "[...] contra o Deus dos deuses, falará cousas incríveis (Dn 11.36). O apóstolo João declara: "[...] e abriu a sua boca em blasfêmias contra Deus, para lhe difamar o nome" (Ap 13.6). Diz ainda: "Este é o anticristo, o que nega o Pai e o Filho" (1Jo 2.22).

O anticristo não apenas se oporá a Deus, mas também perseguirá implacavelmente a Igreja (Dn 7.25; 7.21; Ap 12.11; 13.7). O profeta Daniel diz: "[...] magoará os santos do Altíssimo" (Dn 7.25) e "[...] fazia guerra contra os santos e prevalecia contra eles (Dn 7.21). O apóstolo João registra que lhe foi dado também que pelejasse contra os santos e os vencesse (Ap 13.7). O anticristo perseguirá de forma cruel aqueles que se recusarem a adorá-lo (Ap 13.7,15). Esse será um tempo de grande angústia (Jr 30.7; Dn 12.1; Mt 24.21,22). A Igreja de Cristo nesse tempo será uma Igreja mártir (Ap 13.7,10). Mas os crentes fiéis vão vencer o diabo e o anticristo, preferindo morrer a apostatar (Ap 12.11).

2. O anticristo será objeto de adoração em toda a terra (2.4). Ele se assentará no santuário de Deus e vai reivindicar ser adorado como Deus. A adoração ao anticristo é o mesmo que adoração a Satanás (Ap 13.4). Adoração é um tema central no livro de Apocalipse: a noiva está adorando o Cordeiro, e a igreja apóstata está adorando o dragão e o anticristo. O mundo está ensaiando essa adoração aberta ao anticristo e a Satanás. O satanismo e o ocultismo estão em alta. As seitas esotéricas crescem[296] e se espalham como um rastilho de pólvora. A Nova Era proclama a chegada de um novo tempo, em que o homem vai curvar-se diante do "Maitrea", o grande líder mundial.[297] A adoração de ídolos é uma espécie de adoração de demônios (1Co 10.19,20). A necromancia, de igual forma é, também, uma adoração de demônios. O grande e último plano do anticristo é levar seus súditos a adorarem a Satanás (Ap 13.3,4). Esse será o período da grande apostasia. Nesse tempo os homens não suportarão a verdade de Deus e obedecerão a ensinos de demônios (1Tm 4.1). O humanismo idolátrico, o endeusamento do homem e sua conseqüente veneração, é uma prática satânica. Adoração ao homem e adoração a Satanás são a mesma cousa.

A adoração ao anticristo será universal (Ap 13.8,16). Diz o apóstolo João que o adorarão todos os que habitam sobre a terra, aqueles cujos nomes não foram escritos no livro da vida do Cordeiro (Ap 13.8). Satanás vai tentar imitar Deus também nesse aspecto. Ao saber que Deus tem os Seus selados, ele também selará os seus com a marca da besta (Ap 13.8,16-18). Todas as classes sociais se acotovelarão para entrar nessa igreja apóstata e receber a marca da besta (Ap 13.16).

### Seu cenário preparado (2.7)

Se o anticristo escatológico ainda não foi revelado, o mistério da iniqüidade que prepara o cenário para a sua chegada já está operando. A palavra grega *misterion* traduzida por "mistério" aponta para o que era desconhecido e impossível de ser descoberto pelo homem, exceto por intermédio de uma revelação de Deus.[298] O espírito da nossa época está em aberta oposição a Deus. Vivemos esse tempo de apostasia e rebelião contra Deus. Os valores morais estão sendo tripudiados. Os princípios de Deus estão sendo escarnecidos. Os homens estão indo de mal a pior, rechaçando a verdade e trocando-a pela mentira. O que Deus abomina está sendo aplaudido e o que Deus aprova está sendo pisado como lama nas ruas.

O palco está pronto para a chegada desse líder maligno. É bem conhecido o que disse o historiador Arnold Toynbee: "O mundo está pronto para endeusar qualquer novo César que consiga dar à sociedade caótica unidade e paz". O anticristo surgirá num tempo de profunda desatenção à voz do juízo de Deus (Mt 24.37-39). Esse tempo será como nos dias de Noé.

### Sua manifestação impedida (2.6,7)

O anticristo escatológico ainda não se manifestou porque sua aparição está sendo impedida por ALGO (2.6) e por ALGUÉM (2.7). O apóstolo Paulo diz: "E, agora, sabeis *o que* o detém, para que ele seja revelado somente em ocasião própria. Com efeito, o mistério da iniquidade já opera e aguarda somente que seja afastado *aquele* que agora o detém" (2.6,7; grifos do autor). Convém observar que, em 2 Tessalonicenses 2.6, Paulo refere-se ao repressor de modo neutro ("o que o detém"), enquanto em 2 Tessalonicenses 2.7, usa o gênero masculino ("aquele que agora o detém").[299]

A palavra grega *kairós*, traduzida por "ocasião oportuna", revela-nos que o anticristo só aparecerá no momento certo, ou seja, no momento determinado por Deus. Warren Wiersbe diz que assim como houve uma "plenitude do tempo" para a vinda de Cristo (Gl 4.4), também haverá uma "plenitude do tempo" para o surgimento do anticristo, e nada acontecerá fora do cronograma divino.[300]

O que é esse ALGO? Quem é esse ALGUÉM? Agostinho de Hipona era da opinião que é impossível definir esses elementos restringidores. Outros escritores, entretanto, pensam que Paulo está se referindo aqui ao Espírito Santo, uma vez que Ele pode ser descrito tanto no gênero masculino quanto no neutro (Jo 14.16,17; 16.13) e também Ele é apontado como Aquele que restringia as forças do mal no Antigo Testamento (Gn 6.3). Howard Marshall, por sua vez, é da opinião que Deus é quem está por trás da ação adiadora da manifestação do homem da iniquidade.[301] A maioria dos estudiosos, entretanto, entende que o ALGO é a lei e que o ALGUÉM é aquele que faz a lei se cumprir. É por isso que o anticristo vai surgir no período da grande apostasia, ou seja, da grande rebelião, quando os homens não suportarão leis, normas nem absolutos. Então, eles facilmente se entregarão ao homem da ilegalidade, o filho da perdição.[302] Enquanto a lei e a ordem prevalecerem, o homem da iniquidade está impossibilitado de aparecer no cenário da História com seu programa de injustiça, blasfêmia e perseguição sem precedentes. O apóstolo via no governo e seus administradores um freio para o mal. De outro lado, quando a estrutura básica da justiça desaparece, e quando os juízos falsos e as confissões fraudulentas se transformam na ordem do dia, então o cenário se acha preparado para a revelação do homem da iniqüidade.[303]

### Seu poder identificado (2,9,10a)

O anticristo virá no poder de Satanás. Ele fará coisas espetaculares e milagres estupendos pela energia de Satanás. Ele não será um homem comum nem terá um poder comum. O anticristo vai manifestar-se com um grande milagre (Ap 13.3). Ele vai distinguir-se como uma pessoa sobrenatural, por um ato que será um simulacro da ressurreição. Esse fato é tão importante que o apóstolo João o registra três vezes (Ap 13.3,12,14). Certamente não será uma genuína ressurreição dentre os mortos, mas será o simulacro da ressurreição, produzido por Satanás. O propósito dessa misteriosa transação é conceder a Satanás um corpo. Ele governará em pessoa. O anticristo será uma espécie de encarnação de Satanás.[304]

O anticristo vai realizar grandes milagres. Diz o apóstolo Paulo: "Ora, o aparecimento do iníquo é segundo a eficácia de Satanás, com todo poder, e sinais e prodígios da mentira" (2.9,10). A palavra grega *energeia,* traduzida por "eficácia", é empregada com freqüência para a operação sobrenatural. Atualmente, vivemos numa sociedade ávida por milagres. As pessoas andam atrás de sinais e serão facilmente enganadas pelo anticristo. Ele vai ditar e disseminar falsos ensinos (2.11). Nesse tempo, os homens não suportarão a sã doutrina (1Tm 4.1). As seitas heréticas, o misticismo e o sincretismo de muitas igrejas pavimentam o caminho para a chegada do anticristo.

Satanás dará poder a seu falso messias para que ele realize "sinais, e prodígios da mentira" (2.9). Trata-se, sem dúvida, de uma imitação de Cristo, que realizou "[...] milagres, prodígios e sinais" (At 2.22). Warren Wiersbe descreve essa incansável tentativa de Satanás imitar a Deus, como segue:

> Satanás sempre foi um imitador. Existem falsos cristãos no mundo que, na verdade, são filhos do diabo (Mt 13.38; 2Co 11.26). Ele tem falsos ministros (2Co 11.13) que pregam um falso evangelho (Gl 1.6-9). Existe até mesmo uma "sinagoga de Satanás" (Ap 2.9), ou seja, um grupo de pessoas que pensa estar adorando a Deus, mas, na verdade, adora ao diabo (1Co 10.19-21). Esses cristãos falsos possuem uma justiça falsa que não é a justiça salvadora de Cristo (Rm 10.1-3; Fp 3.4-10). Eles têm uma certeza falsa que se mostrará inútil quando enfrentarem o julgamento (Mt 7.15-29).[305]

O propósito dos milagres de Deus é conduzir as pessoas à verdade; o propósito dos milagres do anticristo será levar as pessoas a crer em mentiras. Paulo os chama de "prodígios da mentira" (2.9), não porque os milagres não sejam reais, mas porque convencem as pessoas a crer nas mentiras de Satanás.[306]

O anticristo vai governar na força de Satanás: "E deu-lhe o dragão o seu poder, o seu trono e grande autoridade" (Ap 13.2). Na verdade quem vai mandar é Satanás. Os governos subjugados por ele vão estar sujeitos a Satanás. Esse vai ser o período da História denominado por João, o "pouco tempo de Satanás" (Ap 20.3). Esse será o tempo da grande tribulação. O governo do anticristo vai ser universal, pois Satanás é o príncipe deste mundo. O mundo inteiro jaz no maligno (1Jo 5.19). Aquele reino que Satanás ofereceu a

Cristo, o anticristo o aceitará. Ele vai dominar sobre as nações: "Deu-se-lhe ainda autoridade sobre cada tribo, povo, língua e nação" (Ap 13.7). O governo universal do anticristo será extremamente cruel e controlador (Ap 13.16,17). O seu poder parecerá irresistível (Ap 13.4).

**Seus seguidores apontados (2.11,12)**

Os seguidores do anticristo podem ser descritos de cinco maneiras bem distintas:

1. Eles não acolhem o amor da verdade (2.10). A verdade de Deus não lhes interessa nem lhes apetece. Eles têm repúdio e aversão pela verdade. Vêem-na como algo desprezível. Esse será o tempo da apostasia, a grande rebelião.

2. Eles não dão crédito à verdade (2.12). Eles serão julgados não pelo pecado da ignorância, mas pelo pecado da rejeição consciente da verdade. Eles desprezam a verdade não porque a desconhecem, mas porque a abominam e a transformam em mentira e dão crédito à mentira enquanto repudiam a verdade (2.11).

3. Eles se deleitam na injustiça (2.12). A razão e a emoção caminham juntas. Eles rejeitam a verdade e por isso se deleitam na injustiça. A impiedade deságua na perversão (Rm 1.18). A apostasia desemboca na corrupção moral. A teologia errada desemboca em vida errada. O prazer do ímpio está naquilo que Deus abomina. Ele se deleita naquilo que provoca náuseas em Deus. Jesus deixa esse ponto claro, quando diz: "O julgamento é este: que a luz veio ao mundo, e os homens amaram mais as trevas do que a luz; porque as suas obras eram más" (Jo 3.19).

4. Eles são entregues por Deus à operação do erro (2.11). Deus sentencia os seguidores do anticristo dando a eles o que sempre buscaram. Eles não acolheram o amor da verdade

nem deram crédito à ela. Então, como julgamento, Deus lhes entrega à operação do erro para darem crédito aos que amam, a mentira. A culpa da condenação do homem é só sua. Quando o homem se perde, é sempre por sua própria culpa, nunca de Deus, acrescenta William Hendriksen.[307] Nessa mesma linha de pensamento Howard Marshall aduz que aqueles que se recusam a crer e a aceitar a verdade descobrem que o julgamento lhes sobrevém na forma de uma incapacidade de aceitar a verdade. O que o versículo ressalta é que esta é uma ação deliberada de Deus.[308]

Quando as pessoas espontânea e reiteradamente rejeitam tanto as promessas quanto as ameaças divinas, rejeitando tanto a Deus quanto Suas mensagens, Deus mesmo as endurece a fim de que fiquem incapacitadas para o arrependimento e aptas para crerem na mentira do anticristo. William Hendriksen ilustra este fato assim:

> Quando Faraó endurecia seu coração (Êx 7.14; 8.15,32; 9.7), Deus endurecia o coração de Faraó (Êx 9.12). Quando o rei de Israel odiava os genuínos profetas de Deus, então o Senhor lhe permitia ser enganado, colocando um espírito mentiroso nos lábios de outros profetas (2Cr 18.22). Quando os homens praticam a impureza, Deus os entrega às luxúrias de seus corações para a impureza (Rm 1.24,26). E quando obstinadamente recusam reconhecer a Deus, ele finalmente os entrega a um estado mental corrompido e a uma conduta imunda (Rm 1.28).[309]

5. Eles são julgados e condenados (2.10,12). Os seguidores do anticristo serão julgados (2.12) e condenados à perdição. Eles perecem (2.10). O destino daqueles que rejeitam a Cristo e engrossam as fileiras do anticristo será o mesmo do dragão e do anticristo, o lago de fogo (Ap 20.10,15). Quem não anda no Caminho da vida, que é Cristo, caminha numa estrada de morte!

## Sua derrota consumada (2.8)

O anticristo não será derrotado por nenhuma força da terra. Ele parecerá um inimigo invencível (Ap 13.4). Porém, quando Cristo vier na Sua glória o matará com o sopro da Sua boca e com a manifestação da Sua vinda (2.8). Os verbos "matar" e "destruir" não significam aniquilar, pois Apocalipse 20.10 indica que Satanás e seus ajudantes serão atormentados no lago de fogo para sempre.[310] O anticristo será quebrado sem esforço de mãos humanas (Dn 8.25). Jesus vai tirar o domínio do anticristo para o destruir e o consumir até o fim (Dn 7,26). Cristo colocará todos os Seus inimigos debaixo dos Seus pés (1Co 15.24,25). O anticristo será lançado no lago de fogo que arde com enxofre (Ap 19.20). O anticristo será atormentado pelos séculos dos séculos (Ap 20.10).

A Igreja selada por Deus (Ap 9.4) preferirá a morte à apostasia e assim vencerá o dragão e o anticristo (Ap 12.11). Aqueles cujos nomes estão no livro da vida não adorarão o anticristo (Ap 13.8) nem serão condenados com ele, mas reinarão com Cristo para sempre.

William Barclay, conclui a análise do texto em tela, sugerindo três aplicações práticas oportunas:[311]

- Há uma força do mal no mundo. O mistério da iniqüidade já opera no mundo preparando o cenário para o aparecimento do homem da iniqüidade. Muitos caminham despercebidos sem atentar para os perigos. Quando o gigantesco e seguro Titanic chocou-se contra um *iceberg* no começo do século passado, houve uma grande perda de vidas. Antes do acidente, havia um arrogante senso de segurança na inexpugnabilidade do navio. Na estréia do grande transatlântico, quando mais de mil pessoas faziam a viagem dos sonhos para

Nova York, não houve quase nenhuma instrução sobre a maneira de sair do navio em caso de acidente. Quase todo o tempo foi utilizado para falar sobre os deleites que o navio oferecia. Quando o navio começou a afundar, o pânico encheu o coração dos passageiros. Então é que foram perceber que não havia botes salva-vidas para todos. Por conseguinte, centenas de pessoas foram engolidas pelas águas geladas do Atlântico Norte. Há muitos que navegam em águas perigosas ainda hoje. Poucos estão preparados para o dia do julgamento. Enquanto o mundo se afunda no abismo do pecado, a igreja é desafiada a alcançar os povos da terra para Cristo, oferecendo-lhes um seguro salva-vidas.

- Deus tem o controle. O iníquo, o filho da perdição só aparecerá no tempo que Deus determinar e terá seu poder limitado, seu tempo limitado e sua derrota lavrada. Até mesmo o mal mais hediondo está sob o controle de Deus.
- O triunfo final de Deus é seguro. Ninguém poderá se opor a Deus e prevalecer. O iníquo fará proezas e enganará a muitos, mas chegará o momento em que Deus dirá: "Basta". Então, ele será lançado no lago de fogo e será atormentado pelos séculos dos séculos.

## Notas do capítulo 2

[274] HENDRIKSEN, William. *1 e 2 Tessalonicenses*. 1998: p. 247.
[275] MARSHALL, I. Howard. *I e II Tessalonicenses: Introdução e comentário*. 1984: p. 220.
[276] MARSHALL, I. Howard. *I e II Tessalonicenses: Introdução e comentário*. 1984: p. 220.
[277] RIENECKER, Fritz e ROGERS, Cleon. *Chave lingüística do Novo Testamento grego*. 1985: p. 450.
[278] HOEKEMA, Antonio A. *La Bíblia y el futuro*. 1984: p. 176,177.
[279] MARSHALL, I. Howard. *I e II Tessalonicenses: Introdução e comentário*. 1984: p. 223.
[280] HENDRIKSEN, William. *1 e 2 Tessalonicenses*. 1998: p. 250.
[281] HENDRIKSEN, William. *1 e 2 Tessalonicenses*. 1998: p. 251.
[282] RIENECKER, Fritz e ROGERS, Cleon. *Chave lingüística do Novo Testamento grego*. 1985: p. 450.
[283] BARCLAY, William. *Filipenses, Colosenses, I y II Tesalonicenses*. 1973: p. 220.
[284] HOEKEMA, Antonio A. *La Bíblia y el Futuro*. 1979: p. 180,181.
[285] HOEKEMA, Antonio A. *La Bíblia y el Futuro*. 1984: p. 180,181.
[286] WIERSBE, Warren W. *Comentário bíblico expositivo*. Vol. 6. 2006: p. 256.
[287] HENDRIKSEN, William. *1 e 2 Tessalonicenses*. 1998: p. 253.
[288] CRAIG, S. C. *Biblical and theological studies*. 1952: p. 472.
[289] HENDRIKSEN, William. *1 e 2 Tessalonicenses*. 1998: p. 258.
[290] RIENECKER, Fritz e ROGERS, Cleon. *Chave lingüística do Novo Testamento grego*. 1985: p. 450.
[291] HENDRIKSEN, William. *1 e 2 Tessalonicenses*. 1998: p. 262.
[292] HENDRIKSEN, William. *1 e 2 Tessalonicenses*. 1998: p. 251.
[293] RIENECKER, Fritz e ROGERS, Cleon. *Chave lingüística do Novo Testamento grego*. 1985: p. 450.
[294] RIENECKER, Fritz e ROGERS, Cleon. *Chave lingüística do Novo Testamento grego*. 1985: p. 450.
[295] BARCLAY, William. *Filipenses, Colosenses, I y II Tesalonicenses*. 1973: p. 221.
[296] BLOMFIELD, Arthur E. *As profecias do Apocalipse*. 1996: p. 192.
[297] LOPES, Hernandes Dias. *Apocalipse, o futuro chegou*. Editora Hagnos. São Paulo, SP. 2005: p. 273.
[298] RIENECKER, Fritz e ROGERS, Cleon. *Chave lingüística do Novo Testamento grego*. 1985: p. 451.

[299] WIERSBE, Warren W. *Comentário bíblico expositivo.* Vol. 6. 2006: p. 255.
[300] WIERSBE, Warren W. *Comentário bíblico expositivo.* Vol. 6. 2006: p. 256.
[301] MARSHALL, I. Howard. *I e II Tessalonicenses: Introdução e comentário.* 1984: p. 233,234.
[302] HENDRIKSEN, William. *Más que vencedores.* 1988: p. 142.
[303] HENDRIKSEN, William. *1 e 2Tessalonicenses.* 1998: p. 269.
[304] LOPES, Hernandes Dias. *Apocalipse, o futuro chegou.* 2005: p. 271.
[305] WIERSBE, Warren W. *Comentário bíblico expositivo.* Vol. 6. 2006: p. 258.
[306] WIERSBE, Warren W. *Comentário bíblico expositivo.* Vol. 6. 2006: p. 258.
[307] HENDRIKSEN, William. *1 e 2Tessalonicenses.* 1998: p. 274.
[308] MARSHALL, I. Howard. *I e II Tessalonicenses: Introdução e comentário.* 1984: p. 239.
[309] HENDRIKSEN, William. *1 e 2Tessalonicenses.* 1998: p. 275
[310] WIERSBE, Warren W. *Comentário bíblico expositivo.* Vol. 6. 2006: p. 258.
[311] BARCLAY, William. *Filipenses, Colosenses, I y II Tesalonicenses.* 1973: p. 221,222.

**Capítulo 3**

# A gloriosa salvação dos eleitos de Deus
(2Ts 2.13-17)

O TEXTO EM ANÁLISE NOS APONTA um grande contraste entre os seguidores do anticristo (2.10-12) e os seguidores de Cristo (2.13,14). Enquanto aqueles perecem, estes são salvos. Enquanto aqueles são enganados e dão crédito à mentira, estes crêem na verdade. Enquanto aqueles se deleitam na injustiça, estes são santificados pelo Espírito.

William Hendriksen afirma que Paulo faz aqui um claro contraste entre a condenação que aguarda os seguidores de Satanás e a salvação entesourada para os filhos de Deus.[312] Enquanto aqueles são seguidores do anticristo rumo à perdição eterna, estes são escolhidos por

Deus, desde toda a eternidade, para alcançarem a glória de Cristo.

Warren Wiersbe esclarece que o apóstolo Paulo passa da profecia para a vida cristã prática; do aspecto negativo (as mentiras de Satanás) para o aspecto positivo (a verdade de Deus).[313] Nessa mesma linha de pensamento Howard Marshall acrescenta que a passagem inteira tem a intenção de ser um antídoto aos sentimentos de incerteza despertados pelas sugestões de que o último dia já chegara, e renova a confiança dos leitores de que participarão da glória associada com a *parousia*.[314]

No último dia, o joio será separado do trigo, os bodes serão separados das ovelhas e aqueles que seguiram as pegadas do anticristo sofrerão penalidade de eterna destruição, enquanto os seguidores do Cordeiro entrarão na posse do Reino e reinarão com Cristo para sempre.

Quando Cristo voltar teremos duas igrejas bem distintas: a igreja apóstata, a grande meretriz, chamada a grande Babilônia e a noiva do Cordeiro, a Igreja dos primogênitos, lavada e remida no sangue do Cordeiro. A igreja apóstata receberá a marca da besta e seguirá o anticristo e seu destino é a perdição eterna; porém, aqueles que receberam o selo de Deus e cujos nomes estão escritos no livro da vida, vencerão o dragão e o seu perverso agente pelo sangue do Cordeiro e pala palavra do testemunho (Ap 12.11). Enquanto aqueles serão atormentados de dia e de noite, pelos séculos dos séculos (Ap 20.10), estes viverão eternamente com Cristo na glória.

O contraste no dia final entre os seguidores do anticristo e os seguidores de Cristo não deixará qualquer sombra de dúvida. Ficará meridianamente claro o destino daqueles que são do Senhor e daqueles que foram enganados e seduzidos pelas mentiras do anticristo. Naquele dia só haverá dois destinos: salvação eterna ou condenação eterna.

Depois de traçar com linhas fortes a terrível condenação dos asseclas de Satanás, Paulo se volta para descrever a gloriosa salvação dos eleitos de Deus. Vamos, agora, considerar essa bendita doutrina.

### A origem da salvação (2.13)

Depois de apresentar a corrupção temporal e a condenação eterna dos seguidores do anticristo, o apóstolo Paulo revela a santificação temporal e a salvação eterna dos eleitos de Deus. Enquanto aqueles que não acolheram a verdade para serem salvos, antes deram crédito à mentira e se deleitaram na injustiça, são destinados à perdição eterna, os eleitos de Deus, por sua vez, pela fé na verdade e santificação do Espírito são destinados à glória.

A eleição divina é uma doutrina gloriosa. Vamos destacar alguns pontos para nosso ensino:

1. A eleição é uma verdade revelada e não uma especulação teológica (2.13). A doutrina da eleição não é uma especulação humana, mas uma revelação divina (Mc 13.20,22,27; Lc 18.7; Jo 15.16; 17.8; At 13.48; Rm 8.29,30; 9.11,12; 11.7; Cl 3.12; Tt 1.1; 1Pe 1.2). Podemos rejcitá-la, mas não tirá-la da Bíblia. É perigoso envolver-se em especulações inúteis acerca da soberania de Deus e da responsabilidade humana, uma vez que ambas são ensinadas nas Escrituras. Elas são como duas linhas que caminham paralelas até a eternidade. A verdade incontestável das Escrituras é que Deus nos escolheu a nós e não nós a Ele (Jo 15.16). Não fomos nós que amamos a Deus, mas foi Ele quem nos amou primeiro (1Jo 4.10). Tudo provém de Deus (2Co 5.18). A salvação pertence a Deus (Jn 2.9).

A doutrina da eleição está presente nos pais da Igreja, na doutrina dos reformadores, nos credos e confissões reformadas. Ela foi crida, pregada e defendida pelos pais da Igreja, pelos mártires, pelos missionários e avivalistas. Charles Haddon Spurgeon, falando da veracidade de gloriosa doutrina, escreve:

> Por meio dessa verdade da eleição, faço uma peregrinação ao passado, e, enquanto prossigo, contemplo pai após pai da Igreja, confessor após confessor, mártir após mártir levantarem-se e virem apertar minha mão. Se eu fosse um defensor do pelagianismo, ou acreditasse na doutrina do livre-arbítrio humano, então eu teria de prosseguir sozinho por séculos e mais séculos em minha peregrinação ao passado. Aqui e acolá, algum herege, de caráter não muito honrado, talvez se levantasse e me chamasse de irmão. Entretanto, aceitando como aceito essas realidades espirituais como o padrão de minha fé, contemplo a pátria dos antigos crentes povoada por numerosíssimos irmãos; posso contemplar multidões que confessam as mesmas verdades que defendo, multidões que reconhecem que essa é a religião da própria Igreja de Deus.[315]

2. A eleição é uma decisão eterna de Deus e não uma escolha temporal do homem (2.13). Foi Deus quem nos escolheu para a salvação e isso desde toda a eternidade. Ele nos amou, com amor eterno e nos atraiu para Si com cordas de amor (Jr 31.3). A Bíblia diz que Deus nos escolheu desde o princípio para a salvação (2.13). Charles Spurgeon, o maior pregador do século 19, afirma que enquanto não recuarmos até o tempo em que o universo inteiro dormia na mente de Deus, como algo que ainda não havia nascido, enquanto não penetrarmos na eternidade, onde Deus, o Criador, vivia solitário, quando tudo ainda dormia dentro Dele, quando a criação inteira repousava

em Seu pensamento todo abrangente e gigantesco; não teremos nem começado a sondar o princípio. Podemos ficar retrocedendo, retrocedendo e retrocedendo, eras e mais eras sem fim.[316] O mesmo pregador ainda escreve:

> Deus nos escolheu quando o espaço celeste nunca dantes navegado não era ainda agitado pelo marulhar das asas de um único anjo, quando o espaço não tinha limites, ou melhor, nem havia sido expandido, quando imperava um silêncio universal, e quando nenhuma voz ou murmúrio chocava a solenidade do silêncio total; quando ainda não existia qualquer ser, ou movimento, ou tempo, e quando coisa nenhuma, exceto o próprio Deus, existia, e Ele estava sozinho na eternidade; quando, sem que qualquer anjo levantasse o seu cântico, sem a ajuda do primeiro dos querubins; muitíssimo antes das criaturas vivas terem vindo à existência, ou de terem sido formadas as rodas da carruagem de Jeová. Sim, quando "no princípio era o Verbo", quando no princípio o povo de Deus era um com o Verbo, foi então que Ele escolheu os seus eleitos para a vida eterna.[317]

Deus nos escolheu antes dos tempos eternos (2Tm 1.9). Ele nos elegeu em Cristo antes da fundação do mundo (Ef 1.4). Howard Marshall diz que a expressão "desde o princípio" tem o efeito de colocar o ato da eleição em associação com o propósito de Deus para o mundo antes da criação (Ef 1.4). E se Deus fez Seu plano há tanto tempo, é impossível que esse plano seja alterado. Isso dava aos crentes uma base sólida para a segurança deles.[318]

William Barclay está correto quando declara que ninguém pode jamais eleger-se a si mesmo. Nem sequer podemos jamais começar a buscar a Deus sem que Deus nos haja encontrado. Toda a iniciativa está em Deus; o fundamento e a causa motora de tudo é o amor de Deus que busca.[319]

3. A eleição é um decreto incondicional de Deus e não um merecimento humano (2.13). Deus não nos escolheu porque merecíamos ser salvos, mas apesar de sermos pecadores. Não fomos salvos por causa da nossa justiça, mas por causa da Sua misericórdia. Deus prova o Seu próprio amor para conosco pelo fato de ter Cristo morrido por nós, sendo nós ainda pecadores (Rm 5.8).

Deus não nos escolheu porque previu que iríamos crer em Cristo. A fé não é a causa da nossa eleição, mas o seu resultado. Não fomos eleitos porque cremos; cremos porque fomos eleitos. A fé não é a mãe da eleição, mas sua filha. A Bíblia diz: "[...] e creram todos os que haviam sido destinados para a vida eterna" (At 13.48). Não diz o texto que os que creram foram eleitos, mas, sim, que os eleitos creram.

Deus não nos escolheu por causa das nossas boas obras, mas para as boas obras. Nós fomos criados em Cristo para as boas obras e não por causa delas (Ef 2.10). As boas obras não são a causa da eleição, mas sua conseqüência.

Deus não nos escolheu por causa da nossa santidade, mas para sermos santos (Ef 1.4). Deus não nos escolheu por sermos parecidos com Jesus, mas para sermos conformes à imagem Dele (Rm 8.29). A causa da eleição divina está no próprio Deus e nunca em nós. A graça é o solo onde está plantada a semente bendita da eleição, e graça é um dom imerecido!

4. A eleição divina é pessoal e não coletiva (2.13). A eleição para a salvação não é coletiva, mas individual; não é nacional, mas pessoal. Deus não escolheu nações para a salvação, mas indivíduos. Deus *nos* escolheu pessoalmente, individualmente. Não há salvação em grupo nem em massa. A salvação é individual. O pai não pode representar o filho nem o filho o pai. A porta do céu é estreita e o caminho é

apertado. Jesus foi enfático: "[...] se alguém não nascer de novo, não pode ver o reino de Deus" (Jo 3.3) e "Quem não nascer da água e do Espírito não pode entrar no reino de Deus" (Jo 3.5).

5. A eleição divina é para a salvação e não apenas para um privilégio especial (2.13). Equivocam-se aqueles que pensam que a eleição divina é apenas para algum privilégio, serviço ou ministério. Concordo com J. P. Gloag quando disse que a eleição divina não é para privilégios eclesiásticos ou nacionais, mas para a salvação.[320] Deus nos escolheu para a salvação (2.13). Somos salvos do pecado e da morte. A finalidade da nossa fé é a salvação da nossa alma (1Pe 1.9). A vida eterna é um presente de Deus e não um merecimento nosso. Entraremos na glória por causa da graça e não por causa do nosso esforço ou trabalho. Não trabalhamos para sermos salvos, mas porque fomos salvos. Não servimos para sermos aceitos, mas porque já fomos aceitos. Não somos salvos por causa da santificação, mas pela santificação e fé na verdade. A santificação não é a causa da salvação, mas, sim, o meio.

6. A eleição não estimula o relaxamento moral, mas é confirmada pela santificação do Espírito e fé na verdade (2.13). Aqueles que rejeitam a doutrina da eleição porque dizem que ela estimula o relaxamento moral tapam os olhos à verdade revelada de Deus, pois esta diz que "Deus vos escolheu desde o princípio para a salvação, pela santificação do Espírito e fé na verdade" (2.13). Duas verdades são aqui destacadas pelo apóstolo Paulo:

a. A santificação do Espírito (2.13). Não há salvação sem a santificação do Espírito (1Pe 1.2). A única prova de que uma pessoa é eleita é sua santificação, pois fomos eleitos para sermos santos (Ef 1.4). Deus nos salvou do pecado e não no pecado. Deus nos escolheu para sermos santos e não para vivermos na prática da iniqüidade. Charles Spurgeon alerta para o fato de que milhares e milhares de pessoas têm arruinado a si mesmas por haverem compreendido erroneamente a doutrina da eleição. Essas pessoas se julgam eleitas e salvas, mas ao mesmo tempo vivem na prática da iniqüidade. Assim, elas transformam a verdade de Deus em mentira e aquilo que é o mais nutritivo pão do céu no veneno mais letal. Essas pessoas têm dito: "Deus me escolheu para ir para o céu e para receber a vida eterna". E, no entanto, elas têm se esquecido de que está escrito que Deus nos escolheu "[...] pela santificação do Espírito e fé na verdade" (2.13). Essa é a autêntica eleição divina – a eleição para a santificação e para a fé. Deus escolhe o Seu povo para que seja crente e santo.[321]

b. A fé na verdade (2.13). A verdade, aqui, é naturalmente, a revelação divina contida no evangelho, diz Howard Marshall.[322] Não há salvação sem fé em Cristo. Ele é a verdade (Jo 14.6). Não há outra salvação além daquela revelada na Escritura. A Palavra é a verdade (Jo 17.17). Russell Norman Champlin está correto quando diz que intencionalmente o apóstolo Paulo está fazendo um contraste aqui entre os eleitos de Deus que crêem na verdade com os seguidores do homem da iniqüidade que deram crédito à mentira. Enquanto aqueles que perecem vão crer nas mentiras de Satanás e seguir o anticristo, os crentes vão sempre colocar sua confiança na Palavra de Deus.[323]

Refutando aqueles que gostam de especular sobre a doutrina da eleição, Charles Spurgeon afirma que qualquer pessoa que confia na verdade de Deus e que confia em Jesus Cristo é uma pessoa eleita.[324] Uma pessoa que confia na sua eleição, mas vive na incredulidade, comete um engano fatal.

William MacDonald observa que com respeito "à santificação do Espírito" temos a parte divina na salvação e com respeito "à fé na verdade", a parte humana. Os dois aspectos são necessários. Soberania de Deus na salvação não anula a responsabilidade humana, mesmo quando nós não alcançamos como as duas coisas podem se reconciliar.[325] Concordo com Howard Marshall quando fala que nada em Paulo sugere que a fé tem relacionamento com a responsabilidade humana.[326] Paulo não ensina o sinergismo, ou seja, que o homem pode cooperar com Deus na salvação. A salvação é uma obra exclusiva de Deus, pois até mesmo a fé é um dom de Deus (Ef 2.9) e é o próprio Deus quem opera em nós tanto o querer quanto o realizar (Fp 2.13). Contudo, Deus ordena o homem a arrepender-se e crer. George Barlow diz que ao mesmo tempo em que a fé é um dom de Deus, é também, um ato humano. Sem o dom de Deus não haveria fé e sem o exercício humano do dom não haveria salvação. Não é a fé que salva, mas o Cristo recebido pela fé.[327]

## O propósito da salvação (2.14)

Depois de descrever a eleição divina no versículo 13, agora, no versículo 14, Paulo revela o propósito para o qual fomos eleitos: alcançarmos a glória de Cristo. Duas verdades são aqui destacadas:

1. Deus nos chama para a salvação pelo Evangelho (2.14). Deus nos escolhe para a salvação na eternidade, mas nos chama para a salvação pelo evangelho no tempo. Esse chamado eficaz acontece quando a pessoa escuta a Palavra e crê na verdade.[328] Paulo chama o evangelho de Cristo de "meu" evangelho. O apóstolo estava tão comprometido com a verdade de Deus que essa era a sua verdade, o seu evangelho. Não há outro evangelho além deste que lhe foi

revelado (Gl 1.6-9). Qualquer nova revelação ainda que venha da parte de um anjo deve ser rechaçada (Gl 1.8).

Deus chama Seus eleitos pelo evangelho (Jo 17.20). A fé que não é de todos (3.2), mas dos eleitos (Tt 1.1) vem por ouvir a Palavra (Rm 10.17). O evangelho é o poder de Deus para a salvação de todo o que crê (Rm 1.16). O mesmo Deus que determinou o fim (a salvação) também determinou o meio para alcançar esse fim (mediante o evangelho). Todos os que são eleitos na eternidade são eficazmente chamados pelo evangelho (Jo 6.37; Rm 8.30).

Howard Marshall corretamente afirma que a predestinação por Deus leva à chamada e à glorificação final do Seu povo.[329] Assim, longe da doutrina da eleição ser um desestímulo à evangelização, ela é um encorajamento para a sua realização. Warren Wiersbe diz que o maior estímulo para o evangelismo é saber que Deus preparou certas pessoas para responderem à Sua Palavra.[330] O Senhor encorajou Paulo em Corinto, com essas palavras: "[...] Não temas; pelo contrário, fala e não te cales; porquanto eu estou contigo, e ninguém ousará fazer-te mal, pois tenho muito povo nesta cidade" (At 18.9,10). A eleição e a pregação do evangelho seguem-se de perto (1Ts 1.4,5; 2.13).

2. Deus nos chama para a salvação para alcançarmos a glória de Cristo (2.14). O propósito final da salvação é que os eleitos de Deus alcancem a glória de Cristo. O que começou na eternidade passada chega a seu apogeu na eternidade futura (Jo 17.24; Rm 8.29,30). O que começa com a graça sempre conduz à glória, acrescenta Warren Wiersbe.[331] Entraremos na glória e teremos um corpo de glória semelhante ao corpo de Cristo (Fp 3.21). Estaremos não apenas no céu, mas assentados em tronos (Ap 4.4). Estaremos não apenas no paraíso, mas na Casa do Pai (Jo 14.1-3). Estaremos

não apenas nos deleitando no Jardim restaurado de Deus, onde não haverá lágrimas, nem dor, nem luto, mas também reinando com Cristo pelos séculos dos séculos.

William MacDonald sintetiza os versículos 13 e 14, dizendo que temos aqui um sistema de teologia em miniatura, um maravilhoso sumário do propósito de Deus na vida do Seu povo. A salvação origina-se na escolha divina, é operada pelo poder divino, é conhecida eficazmente pela mensagem divina e irá ser aperfeiçoada na glória divina.[332]

### O dever da salvação (2.15)

O apóstolo Paulo falou aos tessalonicenses sobre a rebelião futura contra a verdade (2.3), a grande apostasia liderada pelo homem da ilegalidade, o anticristo. Agora, mostra a necessidade dos eleitos de Deus ficarem firmes na verdade. Os que foram escolhidos por Deus na eternidade, chamados pelo evangelho para alcançarem a glória de Cristo, devem viver neste mundo sem vacilar. O chamado cristão é uma convocação para a luta. Vida cristã não é um parque de diversões nem uma colônia de férias. Somos chamados não apenas para o maior de todos os privilégios, mas também para a maior de todas as lutas.[333] Duas verdades solenes são destacadas por Paulo:

1. Os eleitos de Deus devem permanecer firmes até o fim (2.15). A eleição não é uma licença para pecar, mas um encorajamento para vivermos plantados firmemente no solo da graça. A garantia da salvação não é um desestímulo à santificação, mas um apelo à firmeza. O salvo é alguém que permanece firme. Ele é fiel até à morte (Ap 2.10). Ele não se afasta da verdade do evangelho (1Co 16.13; Cl 1.23). Ele não é como um caniço agitado pelo vento nem como uma criança imatura agitada por todo vento de doutrina.

2. **Os eleitos de Deus devem guardar as tradições recebidas (2.15).** Ao usar o termo "tradições", Paulo não se refere às idéias religiosas criadas por seres humanos e sem fundamento bíblico.[334] Jesus rejeitou as tradições religiosas dos escribas e fariseus (Mc 7.1-13), e Paulo adverte contra essas mesmas tradições humanas (Cl 2.8). É triste ver religiosos se apegarem a tradições humanas ao mesmo tempo em que rejeitam a Palavra de Deus.

Warren Wiersbe esclarece esse ponto, quando escreve:

> O termo "tradição" significa, simplesmente, "o que foi passado de uma pessoa para outra". A verdade do evangelho começou como uma mensagem oral, proclamada por Cristo e pelos apóstolos. Posteriormente, essa verdade foi registrada por escrito, por inspiração do Espírito Santo, transformando-se nas Sagradas Escrituras (2Tm 3.12-17; 2Pe 2.16-21). A verdade de Deus não foi inventada por homens: foi transmitida de Deus para os homens (1Co 15.1-6; Gl 1.11,12), e cada geração de cristãos a guardou e a passou adiante (2Tm 2.2).[335]

Precisamos distinguir tradição de tradicionalismo. A tradição é a fé viva dos pais que morreram enquanto o tradicionalismo é a fé morta dos que estão vivos. Os fariseus consideravam suas interpretações da lei tão sagradas quanto a Palavra de Deus (Mc 7.7-9) e com suas tradições fizeram errar o povo. A Igreja Romana coloca sua tradição, seus escritos eclesiásticos, no mesmo nível e até acima das Escrituras. Isso é um perigoso engano.

É importante destacar que a palavra grega *parádosis*, traduzida por "tradição", refere-se, aqui, ao ensino do apóstolo.[336] Nessa mesma linha de pensamento William Hendriksen revela que "as tradições" aqui são os ensinamentos autorizados que foram transmitidos à Igreja (1Co 11.2; Gl 1.14; Cl 2.8).[337]

Paulo exorta seus leitores a se manterem firmes naquilo que realmente dissera e escrevera. A tradição segundo o apóstolo Paulo tinha dois aspectos:

a. A tradição oral (2.15). Paulo havia ensinado muitas coisas à igreja de Tessalônica que não estava escrito em suas duas cartas aos tessalonicenses. Suas pregações aos tessalonicenses, entretanto, foram certamente consoantes ao ensino geral das Escrituras. A tradição oral não é algo contraposto à Escritura, distinto e até em oposição à Escritura, mas o ensino verbal da Escritura. William Hendriksen nessa mesma linha esclarece que a tradição a que Paulo se refere aqui se trata das palavras pregadas por ele, Silas e Timóteo quando estavam entre os tessalonicenses e mais tarde, quando Timóteo os visitou.[338]

b. A tradição escrita (2.15). Paulo agora, se refere à tradição escrita, ou seja, sua primeira carta enviada à igreja. Observe que Paulo não está recomendando à igreja qualquer epístola, mas sua epístola. Devemos rejeitar outra regra de fé e prática além da própria Bíblia. Ao mesmo tempo em que não podemos mudar a Palavra, não devemos também embalsamá-la. Essa Palavra é viva. Ela é como uma semente que colocada no solo produz a planta, frutos e mais sementes.

## Os frutos da salvação (2.16,17)

Depois de falar sobre a origem da salvação, abordando a eleição divina; depois de destacar o propósito da salvação, ou seja, alcançarmos a glória de Cristo; depois de reafirmar a necessidade dos salvos permanecerem firmes e guardarem a Palavra; finalmente, Paulo ora pelos crentes e trata sobre os frutos da salvação. Quatro verdades benditas são destacadas pelo apóstolo:

1. Os salvos recebem o amor do Pai e do Filho (2.16). Os eleitos não apenas são destinados à salvação para alcançarem a glória, mas eles são objetos do amor de Deus. A fonte da salvação está no amor eterno, imutável, e insondável de Deus (Jo 3.16; Rm 5.8). Deus não precisava ter nos criado nem mesmo criado o universo para ser completo em si mesmo. Deus deleitava-se na comunhão eterna que desfrutava entre as três Pessoas da Trindade antes que houvesse sequer uma estrela no firmamento. Porém, Deus livre e soberanamente, movido por amor, decretou nos criar à Sua imagem e semelhança e nos escolher em Cristo para a salvação. Isso é um ato de pura graça. Isso é amor inefável!

2. Os salvos recebem eterna consolação (2.16,17). Os salvos não apenas recebem consolação de suas angústias e tribulações nesta vida, mas também receberão uma consolação eterna, pois dos seus olhos serão enxugadas todas as lágrimas (Ap 21.4). Mesmo que os salvos sejam neste mundo odiados, perseguidos e mortos, o que lhes espera na eternidade é uma eterna consolação.

William Barclay diz que o cristão é alguém que pode considerar a luta e a aflição como algo muito pequeno em comparação com a glória que virá.[339] William Hendriksen entende que o ânimo não visa apenas à presente vida. Ele será comunicado igualmente no dia do juízo final. De fato, ainda que o conforto ou consolação para amainar o sofrimento não se faz necessário no céu – o mundo de infindável deleite – nem será outorgado ali, não obstante ainda lá Deus em Cristo injetará nos remidos um ânimo eterno, ao comunicar-lhes glória e mais glória.[340]

3. Os salvos recebem boa esperança (2.16). A esperança do ímpio é vazia. Para o perverso não tem paz. Sua riqueza não pode lhe dar esperança. Seu poder se tornará inútil

no dia final. Sua vida sem Cristo será vã, sua religião sem Cristo será vã e sua esperança vazia. Porém, aqueles que foram escolhidos, chamados e destinados para a glória terão uma esperança boa, viva, e segura. Aqueles que esperam em Deus jamais serão envergonhados. William Hendriksen acrescenta que a boa esperança de que Paulo fala é uma esperança que é bem fundamentada, ou seja, está arraigada nas promessas de Deus e na obra redentora de Cristo. Ela está cheia de deleite, e jamais termina em decepção, visto que tem o Deus trino como seu alvo.[341]

4. Os salvos são consolados pela graça e confirmados em toda boa obra e boa palavra (2.17). O apóstolo Paulo faz um duplo pedido a Deus a favor dos crentes: que eles sejam encorajados e confirmados em toda boa obra e boa palavra. Encorajamento (1Ts 2.11; 3.2; 4.1,10,18; 5.11,18) e confirmação (1Ts 3.2,13) foram ensinos enfáticos de Paulo à igreja dos tessalonicenses.

Paulo demonstrou preocupação com dois aspectos da vida cristã dos tessalonicenses: sua palavra e suas obras; o que diziam e o que faziam. Se as atitudes não são coerentes com as palavras, o testemunho perde a eficácia. O "agir" e o "falar" devem estar em concordância; as boas obras e as boas palavras devem estar em harmonia.

Não somos salvos pelas obras (Ef 2.8-10; Tt 3.3-7), mas as boas obras dão prova da salvação (Tt 2.11-15). Devemos ser confirmados em nossas palavras e em nossas obras.[342] Matthew Henry diz que Cristo deve ser glorificado por nossas boas obras e por nossas boas palavras.[343] William MacDonald escreve que a verdade em nossos lábios não é suficiente, ela deve ser notória também em nossa vida. Assim, devemos mostrar ao mundo tanto as palavras quanto as obras, tanto a doutrina quanto o dever, tanto a pregação quanto a prática.[344]

## Notas do capítulo 3

[312] HENDRIKSEN, William. *1 e 2 Tessalonicenses*. 1998: p. 277.
[313] WIERSBE, Warren W. *Comentário bíblico expositivo*. Vol. 6. 2006: p. 261.
[314] MARSHALL, I. Howard. *I e II Tessalonicenses: Introdução e comentário*. 1984: p. 241.
[315] SPURGEON, Charles Haddon. *Eleição*. Editora Fiel. São Paulo, SP. 1987: p. 7,8.
[316] SPURGEON, Charles Haddon. *Eleição*. 1987: p. 21,22.
[317] SPURGEON, Charles Haddon. *Eleição*. 1987: p. 22.
[318] MARSHALL, I. Howard. *I e II Tessalonicenses: Introdução e comentário*. 1984: p. 242.
[319] BARCLAY, William. *Filipenses, Colosenses, I y II Tesalonicenses*. 1973: p. 222.
[320] GLOAG, J. P. *The pulpit commentary*. Vol. 21. 1978: p. 32.
[321] SPURGEON, Charles Haddon. *Eleição*. 1987: p. 24,25.
[322] MARSHALL, I. Howard. *I e II Tessalonicenses: Introdução e comentário*. 1984: p. 243.
[323] CHAMPLIN, Russel Norman. *O Novo Testamento interpretado versículo por versículo*. Vol. 5. n.d.: p. 251.
[324] SPURGEON, Charles Haddon. *Eleição*. 1987: p. 26.
[325] MACDONALD, William. *Believer's Bible commentary*. Thomas Nelson Publishers. Nashville, Atlanta. 1995: p. 2056.
[326] MARSHALL, I. Howard. *I e II Tessalonicenses: Introdução e comentário*. 1984: p. 243.
[327] BARLOW, George. *The preacher's complete homiletic commentary*. Vol. 28. 1996: p. 566.
[328] MACDONALD, William. *Believer's Bible commentary*. 1995: p. 2056.
[329] MARSHALL, I. Howard. *I e II Tessalonicenses: Introdução e comentário*. 1984: p. 243.
[330] WIERSBE, Warren W. *Comentário bíblico expositivo*. Vol. 6. 2006: p. 261.
[331] WIERSBE, Warren W. *Comentário bíblico expositivo*. Vol. 6. 2006: p. 262.
[332] MACDONALD, William. *Believer's Bible commentary*. 1995: p. 2057.
[333] BARCLAY, William. *Filipenses, Colosenses, I y II Tesalonicenses*. 1973: p. 222.
[334] WIERSBE, Warren W. *Comentário bíblico expositivo*. Vol. 6. 2006: p. 262.

335 WIERSBE, Warren W. *Comentário bíblico expositivo.* Vol. 6. 2006: p. 262.
336 RIENECKER, Fritz e ROGERS, Cleon. *Chave lingüística do Novo Testamento grego.* 1985: p. 452.
337 HENDRIKSEN, William. *1 e 2Tessalonicenses.* 1998: p. 279.
338 HENDRIKSEN, William. *1 e 2Tessalonicenses.* 1998: p. 279.
339 BARCLAY, William. *Filipenses, Colosenses, I y II Tesalonicenses.* 1973: p. 223.
340 HENDRIKSEN, William. *1 e 2Tessalonicenses.* 1998: p. 280.
341 HENDRIKSEN, William. *1 e 2Tessalonicenses.* 1998: p. 280.
342 WIERSBE, Warren W. *Comentário bíblico expositivo.* Vol. 6. 2006: p. 263,264.
343 HENRY, Matthew. *Matthew's Henry commentary in one volume.* Zondervan Publishing House. Grand Rapids, Michigan. 1960: p. 1885.
344 MACDONALD, William. *Believer's Bible commentary.* 1995: p. 2057.

**Capítulo 4**

# A igreja sob ataque
(2Ts 3.1-18)

A VIDA CRISTÃ É UM CAMPO DE BATALHA e não um parque de diversões. É luta renhida, combate sem trégua. Nesse campo não há ninguém neutro. Somos guerreiros ou vítimas. Usamos a armadura de Deus, ou então estaremos vulneráveis numa arena de morte.

O apóstolo Paulo, depois de tratar da apostasia final e do aparecimento do homem da iniqüidade, retratando com cores vivas a perseguição brutal que assolará a igreja no tempo do fim, ainda precisa alertar a igreja sobre o fato de que ela está sob ataque externo e interno.

1. A igreja sob ataque externo (3.2,3).

O ataque externo à igreja vem de duas fontes específicas:

a. Os homens maus (3.2). O diabo tem não apenas o homem da iniqüidade como seu agente, mas também homens maus e perversos como seus asseclas. Esses homens maus são opositores hostis e declarados do evangelho. Perseguem os pregadores e tentam desacreditar a pregação.

b. O maligno (3.3). O maligno é o patrono maior dos oponentes de Deus. Ele se chama Satanás porque se opõe a Deus, à Sua Igreja e à Sua obra. Ele se chama diabo porque é acusador. Ele se chama maligno porque todas as suas obras são más. Ele se chama antiga serpente porque é venenoso e enganador. Ele se chama dragão porque é devorador. Ele é ladrão, assassino e mentiroso. Ele usa suas armas, seus estratagemas e seus agentes para atacar a igreja.

2. A igreja sob ataque interno (3.6,11). A igreja não enfrenta apenas ataques de fora para dentro, mas também lutas e conflitos internos. Na igreja de Tessalônica havia irmãos vivendo de modo desordenado (3.6,11).

Quando Paulo escreveu sua primeira carta à igreja de Tessalônica advertiu os crentes ociosos e bisbilhoteiros que eles deveriam trabalhar (1Ts 4.11). Aconselhou os líderes da igreja a admoestar esses insubmissos (1Ts 5.14). Esses rebeldes, porém, não se arrependeram uma vez que Paulo precisou dedicar o restante de sua segunda carta ao mesmo problema.

O que gerou esse problema moral dentro da igreja? Uma visão distorcida da teologia. Doutrina errada desemboca em vida errada. Alguns crentes haviam interpretado incorretamente os ensinamentos de Paulo acerca da segunda vinda de Cristo. Por acreditarem que a volta de Cristo seria avassaladoramente iminente deixaram de trabalhar e passaram a viver à custa da generosidade da igreja. Warren Wiersbe diz que esses crentes imaturos e enganados permaneciam ociosos, enquanto outros trabalhavam, e, ainda, esperavam que a igreja os sustentasse. Além de não trabalhar, eles espalhavam fofocas sobre outros membros da igreja. Enquanto as mãos permaneciam ociosas, a língua ocupava-se fofocando.[345]

Três grandes verdades são destacadas pelo apóstolo Paulo neste capítulo em apreço.

**A humildade do apóstolo em pedir oração (3.1,2)**

Paulo é um homem de oração, que suplica a Deus sem cessar pela igreja e também roga à igreja continuamente que ore a seu favor (1Ts 5.25; Rm 15.30-32; 2Co 1.11; Fp 1.19; Cl 4.2; Fm 22). Paulo mesmo sendo o maior teólogo do cristianismo, o maior evangelista e o maior plantador de igrejas, jamais perdeu o senso de sua total dependência de Deus. Ele tinha luz na mente e fogo no coração. Ele tinha teologia e piedade. Ele tinha se consagrado à oração e à Palavra. Ele acreditava que Deus responde as orações e que o Eterno intervém na História por intermédio das súplicas do Seu povo. Hoje, temos gigantes no púlpito, mas pigmeus na oração. Temos homens que têm conhecimento, mas não unção; homens que têm a mente cheia de luz, mas o coração vazio de calor. Hoje temos homens que têm fome de livro, mas não fome de Deus. Essa separação entre Palavra e oração é, atualmente, um dos mais graves problemas da Igreja contemporânea.

Quais assuntos levam o veterano apóstolo a pedir orações da igreja? Prosperidade? Cura? Sucesso? Não! O coração do apóstolo arde pela proclamação do evangelho. É nessa direção que estão sua mente, seu coração, e seus projetos. Paulo pede oração à igreja por dois motivos:

1. Ele pede oração pelo sucesso na evangelização (3.1). O apóstolo Paulo pede oração à igreja pelo êxito da pregação em Corinto, onde estava, quando escreveu esta carta, assim como a Palavra estava se espalhando em Tessalônica (1Ts 1.8,9). Houve momentos de tanta angústia para Paulo em Corinto que o próprio Deus lhe apareceu numa visão, dizendo: "Não temas, pelo contrário, fala e não te cales; porquanto eu estou contigo, e ninguém ousará fazer-te mal, pois tenho muito povo nesta cidade" (At 18.9,10).

Paulo pede oração por duas coisas em relação à evangelização:

a. Para que a Palavra pudesse correr velozmente (3.1). A palavra grega *treche* usada por Paulo para "propagar" significa correr como um atleta num estádio (1Co 9.24). A palavra era empregada na Septuaginta acerca da corrida de um guerreiro na batalha. Paulo usa a palavra aqui para expressar sua preocupação dominante pelo livre curso do evangelho. O que está na mente de Paulo é o rápido progresso do evangelho.[346] Nessa mesma linha de pensamento Howard Marshall diz que a idéia é da propagação rápida e vitoriosa do evangelho.[347] Ele pede oração para que a Palavra de Deus tenha asas e alcance mais rapidamente horizontes mais largos. Os servos de Deus podem estar presos, mas a Palavra de Deus jamais fica algemada. Ninguém consegue conter a Palavra de Deus (2Tm 2.9). Uma vez semeada, ela jamais volta para Deus vazia (Is 55.11).

b. Para que a Palavra pudesse ser glorificada (3.1). A Palavra é glorificada quando ela é pregada com fidelidade e poder, quando ela é acolhida com fé e humildade e quando ela frutifica abundantemente para a glória de Deus. Ela é glorificada na vida do mensageiro e na vida do ouvinte. Fritz Rienecker afirma que o curso triunfante do evangelho traz glória a Deus, e em seu sucesso Sua glória é vista porque é Deus quem espalha o evangelho e lhe dá sucesso e glória.³⁴⁸ A Palavra de Deus é glorificada tanto na vida dos que a compartilham quanto dos que a recebem. Foi o que Paulo experimentou em Antioquia da Pisídia: "Os gentios, ouvindo isto, regozijavam-se e glorificavam a palavra do Senhor, e creram todos os que haviam sido destinados para a vida eterna. E divulgava-se a palavra do Senhor por toda aquela região" (At 13.48,49). Concordo com Warren Wiersbe quando disse: "Quando a Palavra de Deus realiza a obra, Deus recebe a glória".³⁴⁹

2. Ele pede oração por proteção espiritual (3.2). Paulo tem discernimento espiritual para saber que o maligno tem os seus agentes de plantão, réprobos quanto à fé, homens perversos e maus, que articulam planos para obstruir a obra e atormentar os obreiros. O apóstolo é enfático ao afirmar que a fé não é de todos (3.2), mas dos eleitos (Tt 1.1). O trabalho cristão é combate sem intermitência. Jerônimo Savonarola certa vez disse: "Se não há inimigo, não há luta; se não há luta, não há vitória; se não há vitória, não há coroa".³⁵⁰

Paulo não combate esses homens maus com armas carnais. Ele compreende que essa era uma batalha espiritual e, por isso, pede orações à igreja por livramento. Vejamos o pedido de Paulo: "[...] e para que sejamos livres dos homens perversos e maus; porque a fé não é de todos" (3.2). Aqueles indivíduos tinham desígnios malignos, intuitos maliciosos, e espíritos assassinos e Paulo estava sob constante ameaça, diz Norman Champlin.³⁵¹

Paulo descreve esses homens de duas maneiras:

– Eles são perversos (3.2). A palavra grega atopos é utilizada somente aqui em todo o grego bíblico. Essa palavra significa "fora de lugar", "pervertido".³⁵² A palavra foi usada nos papiros para descrever aqueles que tinham despedaçado as hastes de trigo de um fazendeiro e as lançado aos porcos.³⁵³ Esses homens perversos farão tudo para distorcer a mensagem, perverter os valores e atacar os obreiros de Deus.

– Eles são maus (3.2). A palavra grega *poneros* significa "iníquos", "mal-intencionados". É a mesma palavra usada para descrever o maligno (3.3). Esses homens são imitadores do demônio, eles têm o mesmo caráter maligno e as mesmas intenções perversas.

### A fidelidade de Deus em proteger o Seu povo (3.3-5)

A igreja está sob ataque, mas Deus a cobre debaixo de Suas asas. A igreja é perseguida, mas Deus é a sua cidade refúgio. A igreja é o alvo do ódio consumado do maligno, mas Deus é fiel para guardá-la de todo perigo.

Três verdades podem ser aqui destacadas:

1. A fidelidade de Deus é o escudo protetor contra o maligno (3.3). O maligno é um anjo caído. Ele é pervertido em seu caráter, astucioso em suas ciladas, e avassalador em suas ações, mas a igreja está guardada e é protegida pela fidelidade de Deus. Aqueles que foram eleitos por Deus e selados pelo Espírito não podem ser tocados por Satanás. Aqueles cujos nomes estão no livro da vida não podem ser marcados pela besta. Morremos com Cristo. Ressuscitamos com Ele e com Ele estamos assentados nas regiões celestes, acima de todo principado e potestade. Estamos escondidos com Cristo em Deus e seguros nas mãos de Jesus, de onde ninguém pode nos arrebatar.

Deus é fiel a Ele mesmo, aos Seus atributos, à Sua Palavra, às Suas promessas, bem como aos Seus juízos. Sua fidelidade é o nosso escudo protetor contra o maligno. O Senhor os fortalecerá e os "guardará" (3.3). Esse "guardar" impedirá os crentes tessalonicenses de caírem nas malhas do maligno, como o fanatismo, a ociosidade, a intromissão, a negligência dos deveres, e o derrotismo (3.5-8).[354]

2. A obediência da igreja traz-lhe segurança no meio das lutas (3.4). O apóstolo se volta do Senhor para a igreja e diz que tem confiança nos crentes porque eles estão praticando a Palavra de Deus e estão com disposição de continuar a caminhada na estrada da obediência. Diz o apóstolo: "Nós também temos confiança em vós no Senhor, de que não só estais praticando as cousas que vos ordenamos, como também continuareis a fazê-las" (3.4). A palavra grega *paraggello* refere-se a "uma ordem militar transmitida por um oficial superior".[355] Os crentes estavam se submetendo às ordens de Deus dadas à igreja por intermédio de Paulo.

O perigo que a igreja enfrenta não é a presença nem a ameaça do inimigo, mas a ausência de Deus e a desobediência à Sua Palavra. Sempre que uma igreja trilha pelas veredas da obediência, ela caminha em triunfo, ainda que pobre ou perseguida. A igreja de Esmirna era pobre e perseguida, mas Jesus disse que ela era rica. Os homens podiam até matar os seus fiéis, mas jamais derrotá-los. Os filhos de Deus que selam seu testemunho com sangue são mais do que vencedores!

3. É Deus mesmo quem conduz a igreja vitoriosamente no meio das provas (3.5). O apóstolo Paulo diz: "Ora, o Senhor conduza o vosso coração ao amor de Deus e à constância de Cristo" (3.5). Toda a obra da salvação é planejada, aplicada e consumada por Deus. É Ele mesmo quem nos chama e nos conduz não para fora e além Dele,

mas para o Seu próprio amor. É Ele mesmo quem nos conduz a enfrentarmos vitoriosamente as lutas por causa de Cristo.

William Hendriksen diz que a palavra grega *hupomone*, traduzida por "constância", fala daquela paciência ou graça para suportar o peso. Equivale à firmeza, não importando qual seja o custo. Em quase todos os casos em que Paulo emprega a palavra *hupomone*, ele também usa alguma palavra que indica a hostilidade dirigida contra Cristo e Seus seguidores, ou, por exemplo, as provações e dificuldades que os mesmos têm de suportar:

- Romanos 5.3-5: perseverança em meio à tribulação.
- Romanos 15.4,5: perseverança em meio ao vitupério.
- 2Coríntios 1.6: perseverança em meio ao sofrimento.
- 2Coríntios 6.4: perseverança em meio à aflição.
- 2Coríntios 12.12: perseverança em meio à perseguição, à angústia.[356]

## A disciplina na igreja, uma medida terapêutica (3.6-15)

A disciplina é um ato responsável de amor. Segundo o reformador João Calvino, ela é uma das marcas da igreja verdadeira. A disciplina é terapêutica e visa à proteção da igreja e a restauração do faltoso.

O apóstolo Paulo destaca três verdades solenes aqui:

1. A descrição dos faltosos (3.6,10,11). Alguns crentes de Tessalônica permaneceram no erro, mesmo depois de exortados. Como a igreja deveria tratar essas pessoas? Ignorá-las? Deixá-las como fermento no meio da massa, levedando os demais? Expulsá-las da igreja como inimigos? Não! Paulo orienta a igreja a lidar com essas pessoas de maneira firme, mas amorosa. Vamos observar, então, qual a descrição que o apóstolo Paulo faz desses faltosos.

a. Eles estavam vivendo de forma desordenada (3.6,11). Alguns crentes de Tessalônica, por abraçarem uma teologia errada, estavam vivendo uma vida errada e por acreditarem que a vinda de Cristo seria imediata deixaram de trabalhar e começaram a viver às custas dos demais. Além de serem parasitas e sanguessugas, usaram o tempo de folga para se intrometer na vida alheia. A palavra grega utilizada por Paulo é *ataktos* que significa estar fora da fila, estar fora de ordem, ser desordeiro, preguiçoso.[357] Os judeus honravam o trabalho honesto e exigiam que todos os rabinos soubessem um ofício. Os gregos, de outro lado, desprezavam o trabalho manual e o deixavam ao encargo de seus escravos. Essa influência grega, somada às idéias equivocadas acerca da doutrina sobre a volta de Cristo, levaram alguns crentes tessalonicenses a um modo de vida indigno de um cristão.[358]

b. Eles estavam rendidos à preguiça (3.10,11). Alguns crentes começaram a adotar a vadiagem em vez de diligência no trabalho. Deixaram de trabalhar e queriam ser sustentados pelos demais irmãos. A preguiça é um pecado. Deus criou o homem para o trabalho. O trabalho dignifica e honra o ser humano. É bem conhecida a expressão usada por Benjamim Franklin: "A preguiça caminha tão lentamente que a pobreza não demora a alcançá-la". O rei Salomão adverte: "Vai ter com a formiga, ó preguiçoso, considera os seus caminhos e sê sábio" (Pv 6.6). Russell Norman Champlin, citando Robertson, diz que aqueles parasitas eram piedosos demais para trabalhar; mas estavam perfeitamente dispostos a comer às custas de seus vizinhos, enquanto passavam o seu tempo na indolência.[359] Os romanos diziam: "Quem não aprende a fazer coisa alguma, aprende a fazer o mal". Isaac Watts escreveu: "Satanás sempre encontra algum mal a ser feito por mãos desocupadas". Os rabinos diziam: "Aquele que não ensina o filho a trabalhar, ensina-o a roubar".

c. Eles estavam se envolvendo com fofocas (3.11b). Paulo diz que além de não trabalharem; esses crentes ainda estavam se intrometendo na vida alheia. Em vez de se tornarem trabalhadores ativos, tornaram-se intrometidos ativos. Eles não eram ativos em algo proveitoso, mas ativos em tratar da vida alheia.[360] Eles se tornaram bisbilhoteiros, farejadores da vida alheia. Devemos nos ocupar dos nossos próprios pecados em vez de ficarmos espalhando boatarias. A maneira mais vergonhosa de nos exaltarmos é criticar as outras pessoas.

2. Como a igreja deve lidar com os faltosos (3.6.14,15). A disciplina não é um ato isolado da liderança da igreja, mas uma medida tomada por toda a comunidade. Warren Wiersbe cita seis diferentes situações que exigem disciplina na igreja: 1) Diferenças pessoais entre cristãos (Mt 18.15-17). Nesse caso devemos procurar essa pessoa para uma conversa particular e tentar resolver a questão. Somente se a pessoa se recusar a colocar as coisas em ordem é que devemos tratar do assunto com mais alguém; 2) Erro doutrinário. Esse erro pode ser por falta de conhecimento da Palavra. Nesse caso, devemos ensinar-lhe com paciência (2Tm 2.23-26). Se persistir, deve ser repreendido (Tt 1.10-14). Se continuar no erro, deve-se evitar a pessoa (Rm 16.17,18) e, por fim, é preciso separar-se dela (2Tm 2.18-26; 2Jo 9); 3) Um cristão que caiu em pecado (Gl 6.1-3). Aquele que é surpreendido no pecado deve ser corrigido com espírito de brandura a fim de ser restaurado; 4) Um desordeiro contumaz (Tt 3.10,11). Trata-se daquela pessoa facciosa que toma partido dentro da igreja para provocar divisão. Caso essa pessoa seja corrigida duas vezes e mesmo

assim não der prova de arrependimento, Paulo recomenda a exclusão; 5) A imoralidade flagrante (1Co 5.1-7). A igreja deve lamentar profundamente essa situação e procurar levar o faltoso ao arrependimento. Se ele recusar, a congregação deve coletivamente excluí-lo de seu meio (1Co 5.13). Se ele se arrepender, deve ser perdoado e restaurado à comunhão na igreja (2Co 2.6-11); 6) O caso de cristãos preguiçosos e bisbilhoteiros (3.6-15). Paulo diz aos membros da igreja para exortá-los e, se não se arrependerem, para evitar a comunhão íntima com eles.[361]

Três ações são oferecidas pelo apóstolo Paulo no trato deste último caso, que é o nosso assunto:

– Uma ação coletiva de afastamento do faltoso (3.6). Paulo diz: "Nós vos ordenamos, irmãos, em nome do Senhor Jesus Cristo, que vos aparteis de todo irmão que ande desordenadamente e não segundo a tradição que de nós recebestes" (3.6). O apelo de Paulo aos crentes é veemente acerca do distanciamento que devem manter daqueles que vivem deliberadamente na prática do pecado. William Hendriksen afirma que quando a admoestação não alcança êxito, deve-se recorrer à segregação, ao menos até certo ponto. Não se trata de um completo ostracismo, mas a igreja não deve ter com ele companheirismo, concordando com suas atitudes e mau testemunho.[362] É preciso deixar claro que esses faltosos não eram ignorantes, mas rebeldes. Eles estavam vivendo desordenadamente por conveniência e rebeldia aos ensinamentos já recebidos. Eles estavam vivendo fora do caminho não por falta de luz, mas por se recusarem a obedecer.

– Uma desaprovação coletiva do erro do faltoso (3.14). Paulo agora dá mais um passo e levanta a possibilidade daqueles que já haviam desobedecido às orientações da primeira carta continuarem na prática do erro mesmo depois da leitura desta segunda carta. Nesse caso, essas pessoas se tornariam contumazes na prática do erro e deveriam ser percebidas pelos membros da igreja. Os crentes, então, recebem a orientação de não se associarem a esses rebeldes recalcitrantes a fim de ficarem envergonhados.

– Uma advertência firme, mas amorosa (3.15). É digno observar que em momento algum Paulo se referiu a esses rebeldes como joio, como lobos, como inimigos, ou como filhos do maligno. Ele os descreveu como "irmãos". Por isso, deveriam ser disciplinados. A disciplina é para os filhos. Deus disciplina aqueles a quem Ele ama. Paulo exorta a igreja a não tratar os faltosos como inimigos, mas como a irmãos. Diz o apóstolo: "Todavia, não o considereis por inimigo, mas adverti-o como irmão" (3.15). Na disciplina precisamos ter cuidado para não esmagarmos a cana quebrada nem apagarmos a torcida que fumega. William Barclay diz que a disciplina cristã deve ser administrada de irmão para irmão.[363] William Hendriksen observa que o apóstolo Paulo ainda considera esses faltosos como irmãos, ainda que irmão em erro. Por isso, seu propósito é conduzir essas pessoas ao arrependimento e não destruí-las.[364]

3. Como agir preventivamente para que não haja esses escândalos na igreja (3.6-14). A prevenção é sempre melhor e mais suave do que a intervenção. Paulo nos aponta quatro formas de evitarmos os problemas na igreja:

a. Devemos andar segundo a Palavra (3.6,14). No versículo 6 o apóstolo Paulo fala de uma ordem dada à igreja. Essa palavra refere-se a uma "ordem militar transmitida por um oficial superior". Assim, Paulo vê a igreja como um exército, e não pode haver ordem em um exército insubordinado.[365] Também nesse mesmo versículo Paulo fala da "tradição" que os crentes tessalonicenses receberam. Essa tradição é uma referência à mensagem escrita e falada pelo apóstolo e seus companheiros Silas e Timóteo dada à igreja. Howard Marshall nessa mesma linha diz que a tradição diz respeito ao ensino doutrinário, tanto oral quanto escrito. Aqui, o pensamento diz respeito ao ensino acerca do comportamento cristão, transmitido oralmente (3.10) e por escrito (1Ts 4.11,12), como também pelo exemplo de Paulo.[366] Já no versículo 14, Paulo faz referência especificamente à sua segunda carta à igreja, a mesma carta que estamos considerando. A Palavra de Deus deve ser a nossa única regra de fé e prática. A Palavra é a verdade e é ela mesma que testifica de Cristo. Ela é espírito e vida. Ela é mais preciosa do que ouro depurado e mais doce do que o mel e o destilar dos favos. Não há revelação de Deus fora da Palavra. A Palavra é inerrante, infalível e suficiente. Qualquer revelação forânea à Escritura deve ser anátema (Gl 1.6-9). A igreja não é guiada por tradições humanas, dogmas produzidos pelos concílios das igrejas ou mesmo por sonhos, visões e revelações sensacionalistas. Deus se revelou e Sua revelação está escrita na Palavra e fora dela não podemos conhecer a vontade de Deus.

b. Devemos seguir os bons exemplos (3.7-9). Para corrigir o desvio dos irmãos preguiçosos e bisbilhoteiros, o apóstolo Paulo cita o seu próprio exemplo, mostrando que ele, mesmo tendo o direito de receber sustento da igreja (1Co 9.6-14), trabalhou com suas próprias mãos para prover seu sustento, a fim de deixar para eles o exemplo. Todo obreiro cristão tem o direito de receber sustento da igreja onde serve ao Senhor (Lc 10.7; Gl 6.6; 1Tm 5.17,18). Por conseguinte, não devemos usar o exemplo de Paulo como desculpa para não sustentar os servos de

Deus (2Co 11.8,9; 12.13). O líder espiritual, porém, está a serviço do rebanho em vez de ser servido por ele. Ele deve ser pastor do rebanho e não explorador dele. Paulo não fez do ministério uma plataforma para se enriquecer. Ele não mercadejava o evangelho (2Co 2.17). Hoje, muitos pregadores transformam a igreja numa empresa particular, o evangelho num produto, o púlpito num balcão, o templo numa praça de negócios e usam os crentes como consumidores. Warren Wiersbe diz que líderes egoístas usam as pessoas para garantir o próprio sustento e estão sempre exigindo seus direitos; um líder verdadeiramente dedicado usa seus direitos para edificar as pessoas e coloca seus privilégios de lado por amor aos outros.[367]

c. Devemos nos dedicar zelosamente ao trabalho (3.10,12). O trabalho não é conseqüência do pecado. Adão e Eva trabalharam antes da Queda e nós iremos trabalhar mesmo depois que recebermos um corpo de glória no céu. O trabalho é bênção e não maldição. Em vez de vivermos desordenadamente, bisbilhotando a vida alheia, devemos trabalhar tranqüilamente. Em vez de vivermos às custas dos outros, devemos ganhar o nosso próprio pão, pois o axioma universal é este: "[...] se alguém não quer trabalhar, também não coma" (3.10b). Certamente este texto não se aplica aos infantes que ainda não podem trabalhar nem aos doentes e incapacitados.

d. Devemos continuar fazendo o bem em toda e qualquer circunstância (3.13). O mau exemplo dos insubordinados; a exploração dos que vivem desordenadamente; a boataria dos que vivem se intrometendo na vida alheia não devem nos desencorajar na prática do bem. Alguns crentes de Tessalônica estavam recuando na prática do bem por causa do mau testemunho dos crentes desobedientes. Warren

Wiersbe diz que os cristãos fiéis estavam desanimados com a conduta desses convertidos negligentes que se recusavam a trabalhar. Seu argumento era: "Se eles não precisam trabalhar, então por que nós precisamos?" É como se Paulo estivesse dizendo: "Vocês não devem exasperar-se tanto pela conduta lamentável de alguns ociosos, que se sintam cansados de exercer a caridade para com os que são realmente necessitados". Ou ainda como se afirmasse: "Não se enganem. Não deixem que algumas pessoas, as quais negligenciam seus deveres, lhes impeçam de fazerem os seus. Nunca se cansem de fazer o que é justo, nobre e excelente".[368]

O pecado na vida de um cristão sempre afeta toda a igreja. O péssimo testemunho de alguns cristãos pode abalar a devoção e obstruir o serviço do restante da congregação.[369]

Paulo os exorta a não se cansarem de fazer o bem. A palavra grega *kalopoieo* significa fazer não apenas o que é direito, mas também o que é belo. Há obras que são moralmente boas, mas não são necessariamente belas.

O apóstolo Paulo conclui esta carta, falando sobre três preciosas possessões da igreja:
- A paz (3.16). Jesus é o Senhor da paz. Ele é a nossa paz. Ele nos dá a paz e essa paz o mundo não pode dar nem tirar. Essa paz guarda o nosso coração e a nossa mente de qualquer ansiedade. Essa paz excede a todo o entendimento. Essa paz reina em todas as circunstâncias.
- A comunhão (3.16b). Depois de falar que Jesus é o Senhor da paz. Depois de mencionar que Jesus nos concede continuamente Sua paz em todas as circunstâncias, agora, Paulo fala da comunhão que temos com Ele. Temos não apenas a paz de Cristo

em nós, mas o Senhor da paz conosco (Fp 4.9). Não importa se passamos por lutas, vales e aflições, o Senhor da paz está conosco. Ele jamais nos abandona nem em circunstância alguma nos desampara. Nossa comunhão com Ele é plena, abundante e eterna.

- A graça (3.18). A graça de Cristo é o Seu favor imenso dispensado àqueles que não O merecem. Por Sua graça somos salvos. Por Sua graça temos livre acesso a Deus. Por Sua graça entramos na cidade pela porta. Pela Sua graça somos feitos filhos e herdeiros de Deus. Pela Sua graça triunfamos e chegamos à glória!

##### Notas do capítulo 4

[345] WIERSBE, Warren W. *Comentário bíblico expositivo.* Vol. 6. 2006: p. 266.

[346] RIENECKER, Fritz e ROGERS, Cleon. *Chave lingüística do Novo Testamento grego.* 1985: p. 452.

[347] MARSHALL, I. Howard. *I e II Tessalonicenses: Introdução e comentário.* 1984: p. 249.

[348] RIENECKER, Fritz e ROGERS, Cleon. *Chave lingüística do Novo Testamento grego.* 1985: p. 452.

[349] WIERSBE, Warren W. *Comentário bíblico expositivo.* Vol. 6. 2006: p. 264.
[350] BARLOW, George. *The preacher's complete homiletic commentary.* Vol. 28. 1996: p. 572.
[351] CHAMPLIN, Russell Norman. *O Novo Testamento interpretado versículo por versículo.* Vol. 5. n.d.: p. 256.
[352] CHAMPLIN, Russell Norman. *O Novo Testamento interpretado versículo por versículo.* Vol. 5. n. d.: p. 256.
[353] RIENECKER, Fritz e ROGERS, Cleon. *Chave lingüística do Novo Testamento grego.* 1985: p. 452.
[354] HENDRIKSEN, William. *1 e 2Tessalonicenses.* 1998: p. 290.
[355] WIERSBE, Warren W. *Comentário bíblico expositivo.* Vol. 6. 2006: p. 265.
[356] HENDRIKSEN, William. *1 e 2Tessalonicenses.* 1998: p. 293.
[357] RIENECKER, Fritz e ROGERS, Cleon. *Chave lingüística do Novo Testamento grego.* 1985: p. 453.
[358] WIERSBE, Warren W. *Comentário bíblico expositivo.* Vol. 6. 2006: p. 267.
[359] CHAMPLIN, Russell Norman. *O Novo Testamento interpretado versículo por versículo.* Vol. 5. n.d.: p. 261.
[360] HENDRIKSEN, William. *1 e 2Tessalonicenses.* 1998: p. 301.
[361] WIERSBE, Warren W. *Comentário bíblico expositivo.* Vol. 6. 2006: p. 269,270.
[362] HENDRIKSEN, William. *1 e 2Tessalonicenses.* 1998: p. 296.
[363] BARCLAY, William. *Filipenses, Colosenses, I y II Tesalonicenses.* 1973: p. 227.
[364] HENDRIKSEN, William. *1 e 2Tessalonicenses.* 1998: p. 304,305.
[365] WIERSBE, Warren W. *Comentário bíblico expositivo.* Vol. 6. 2006: p. 267.
[366] MARSHALL, I. Howard. *I e II Tessalonicenses: Introdução e comentário.* 1984: p. 257.
[367] WIERSBE, Warren W. *Comentário bíblico expositivo.* Vol. 6. 2006: p. 268.
[368] HENDRIKSEN, William. *1 e 2Tessalonicenses.* 1998: p. 303.
[369] WIERSBE, Warren W. *Comentário bíblico expositivo.* Vol. 6. 2006: p. 268.

Sua opinião é importante para nós. Por gentileza, envie seus comentários pelo e-mail editorial@hagnos.com.br

Visite nosso site: www.hagnos.com.br

Esta obra foi impressa na Imprensa da Fé.
São Paulo, Brasil.
Verão de 2020.